La Revanche
de Jordan

Données de catalogage avant publication (Canada)

Rouy, Maryse, 1951-
   La Revanche de Jordan
   (Collection Atout ; 42. Histoire)
   Suite de : Jordan apprenti chevalier
   Pour les jeunes de 9 ans et plus
   ISBN 2-89428-415-2

   I. Titre. II. Collection : Atout ; 42. III. Collection : Atout.
Histoire.

PS8585.O892R48 2000   jC843'.54   C00-940043-5
PS9585.O892R48 2000
PZ23.R68Re 2000

Les Éditions Hurtubise HMH bénéficient du soutien financier des
institutions suivantes pour leurs activités d'édition :

– Conseil des Arts du Canada ;
– Gouvernement du Canada par l'entremise du Programme
  d'aide au développement de l'industrie de l'édition (PADIÉ) ;
– Société de développement des entreprises culturelles au
  Québec (SODEC).

Directrice de la collection : **Catherine Germain**
Conception graphique : **Nicole Morisset**
Illustration de la couverture : **Anatoli Burcev**
Mise en page : **Lucie Coulombe**

© Copyright 2000
Éditions Hurtubise HMH ltée
1815, avenue De Lorimier
Montréal (Québec)
H2K 3W6 Canada
Téléphone : (514) 523-1523

Dépôt légal/1er trimestre 2000
Bibliothèque nationale du Canada
Bibliothèque nationale du Québec

Imprimé au Canada

Maryse Rouy

La Revanche de Jordan

Collection **Atout**

dirigée par Catherine Germain

Le Moyen-Âge a toujours passionné **Maryse Rouy**,
surtout l'époque féodale, celle des châteaux forts et
des chevaliers. Tout ce qui concerne cette période
l'intéresse : ce que les gens mangeaient, comment
ils se soignaient, la musique qu'ils écoutaient,
les vêtements qu'ils portaient, les jeux préférés
des enfants...
Maryse enseigne à Montréal dans une école
primaire. Elle a commencé avec succès dès 1995
à publier pour les adultes des romans historiques
sur cette période qui la fascine : *Azalaïs ou la vie
courtoise, Guilhèm ou les enfances d'un chevalier,
Les Bourgeois de Minerve* (éditions Québec/Amérique).
Le personnage de Jordan est né dans cet
environnement romanesque avec la publication
du premier volume, *Jordan apprenti chevalier*,
collection Atout histoire n° 31.

1

Le retour des pèlerins

La sonnerie du cor déchira la tranquillité du matin. Elle fut suivie, presque aussitôt, d'un cri retentissant :

— Troupe en vue, en amont du Rivas !

Jordan et Paulin interrompirent net leur partie de dés et se précipitèrent dans l'escalier à vis du donjon. C'était le point culminant du château : le meilleur endroit pour voir la troupe qu'on venait d'annoncer.

Un nuage de poussière s'élevait au loin, mais les feuilles des arbres cachaient les nouveaux venus. On ne les reconnaîtrait que lorsqu'ils seraient à découvert, et ça promettait d'être long. Jordan, qui n'était pas patient, piaffait d'exaspération en attendant que Jean-Blaise, son grand-père, parvienne à se hisser au poste d'observation. Le vieux seigneur grimaçait à cause de ses jambes douloureuses et, lorsqu'il émergea sur le toit, il s'appuya lourdement à un créneau. Sans remarquer sa fatigue, Jordan, plein d'espoir, lui demanda :

— Tu crois qu'ils arrivent ?

— Je ne sais pas. En tout cas, c'est la bonne direction.

Depuis bientôt deux ans Jordan attendait le retour de ses parents. Les seigneurs de Gourron étaient allés en pèlerinage à Saint-Jacques-de-Compostelle pour accomplir un vœu. Lorsque Jordan était tombé de cheval, ils avaient craint qu'il ne remarche jamais ; alors, ils avaient promis à Dieu de faire ce pèlerinage si leur fils était sauvé. Dame Garsie et Bertrand de Gourron s'étaient mis en route après la guérison de Jordan et, depuis lors, Jean-Blaise, l'ancien, gardait la forteresse avec l'aide d'une garnison et s'occupait de son petit-fils. Jordan aimait beaucoup son grand-père et tous deux s'entendaient à merveille. Malgré cela, il avait hâte de revoir ses parents.

Bertrand, son père, aurait des choses merveilleuses à lui raconter : de l'autre côté des Pyrénées, il y avait des infidèles qu'il avait peut-être fallu combattre, et Jordan était friand de récits guerriers. Il était également très impatient de montrer à son père ses progrès à cheval et à l'escrime. Il imaginait son sourire de fierté quand il le verrait caracoler sur Vif-Argent... Il était heureux rien que d'y penser. En haut du donjon, il trépignait d'impatience.

Jean-Blaise aussi avait hâte de savoir qui approchait. Dans le doute, il avait ordonné le branle-bas de combat : si on attendait de reconnaître l'ennemi, il était trop tard pour s'en protéger, et le château risquait de se faire prendre. Les gardes étaient à leur poste, les arcs bandés. Tous les habitants du château, des cuisiniers aux forgerons, des palefreniers aux porchers, s'affairaient à monter des pierres sur le chemin de ronde. On les jetterait sur la troupe si elle manifestait l'intention d'attaquer. Le lourd pont-levis finissait de remonter, grinçant de toutes ses chaînes. Jean-Blaise jeta un regard circulaire pour une dernière vérification et se montra satisfait : le château de Gourron était prêt à se défendre.

La vue de l'ancien baissait avec l'âge et ne portait plus très loin. Il se fiait donc à son petit-fils pour lui décrire la bannière qui permettrait d'identifier la troupe.

Jordan regardait de tous ses yeux. Après une attente qui lui parut interminable, il finit par distinguer quelque chose.

— Bleu, dit-il d'une voix sourde, fond bleu.

Jean-Blaise jeta un regard vers Paulin, qui confirma d'un signe de tête. Mais il fallut attendre encore un peu pour reconnaître les dessins sur le drapeau.

Jordan, tremblant d'émotion, décrivit enfin le blason :

— Deux tours... et un sanglier !

Et il se mit à crier :

— C'est eux ! Ils sont arrivés !

Plantant là son grand-père, qui commandait aux soldats d'arrêter les manœuvres de défense, Jordan dévala l'escalier de la tour. Il se mit à harceler les gardes du pont-levis. À son goût, ils ne tournaient pas assez rapidement la manivelle pour abaisser le pont qu'ils venaient tout juste de relever. Le jeune seigneur voulait sortir immédiatement.

Il hurlait et trépignait, suppliait les hommes d'être plus rapides, mais le mécanisme était lourd et il lui fallut attendre. Quand il put finalement s'élancer au-dehors, Jordan courut vers les cavaliers à toutes jambes.

Lorsqu'il les eut rejoints, il s'arrêta, interdit. En tête du convoi chevauchait dame Garsie, sa mère ; Sicard, le capitaine des gardes, était à ses côtés. Pourquoi n'était-ce pas son père ? Bertrand de Gourron aurait dû être le premier à se présenter devant son château après une aussi longue absence.

Sans s'arrêter pour saluer sa mère qui le hélait, Jordan courut vers la fin du cortège à la recherche de son père. La voix de dame Garsie avait une curieuse intonation : elle était inquiète, sans la moindre trace de joie. Son appel résonnait dans la tête de Jordan comme un signal d'alarme. Et il ne trouvait pas son père ! Très vite, il parvint au bout de la caravane : sans succès. Puis il remonta vers la tête en marchant plus lentement. Il interrogeait fiévreusement les gens, mais ils ne répondaient pas, se contentant de baisser les yeux et de regarder leurs pieds.

Revenu à la hauteur de sa mère, il s'arrêta et voulut lui parler, mais l'angoisse serrait tellement sa gorge qu'aucun son n'en sortit. Il la regarda avidement. Sur le visage de la dame, il y avait tant de tristesse que son fils pressentit un malheur.

— Il est mort, murmura-t-il, c'est ça, il est mort ?

Mais en le disant, il n'y croyait pas. Il gardait un espoir insensé, comme si tout ce qu'il avait vu jusque-là pouvait avoir un autre sens. Contre toute logique, Jordan attendait que sa mère le rassure. Hélas, dame Garsie hocha doucement la tête et répondit d'une voix éteinte :

— Oui. Il a disparu pendant une attaque.

Le désespoir qui envahit le garçon fut si fort qu'il devint tout pâle : il semblait prêt à défaillir. Sa mère, bouleversée, voulut descendre de la jument pour le consoler, mais Sicard l'en empêcha. Il posa la main sur son bras pour la retenir et lui dit avec rudesse :

— Ce n'est plus un enfant : il doit y faire face tout seul.

L'attitude du capitaine, qui donnait des ordres à la dame de Gourron, était si extraordinaire que Jordan émergea de sa peine pour lui jeter un regard d'incompréhension.

Sicard expliqua aussitôt :

— Je vais épouser ta mère à l'automne mais, dès maintenant, c'est moi le maître de Gourron, et tout le monde, ici, me doit obéissance.

Le sang de Jordan ne fit qu'un tour. Ce que le capitaine disait était inacceptable ! Fou de douleur et de colère, il cria de toutes ses forces à l'homme qu'il avait toujours détesté :

— Jamais tu ne remplaceras mon père ! Jamais !

Tout le cortège resta figé dans l'attente de la colère du maître. La réaction ne tarda pas : en un instant, Sicard fut à bas de son cheval et gifla Jordan si violemment qu'il le jeta par terre.

— Tu obéiras, dit-il les dents serrées, de gré ou de force.

Jordan n'avait pas eu le temps de se relever que son futur beau-père était déjà remonté à cheval et avait donné l'ordre d'avancer. La caravane entra dans la forteresse suivie par le regard douloureux du jeune seigneur qui ne vit pas sa mère essuyer furtivement une larme.

Jordan ne retourna dans la cour que lorsque les voyageurs furent montés dans la grande salle du donjon. Bien à l'abri dans son coin secret, sous les ferrailles du forgeron, le jeune seigneur pleurait en pensant à son père. Belle, qui lui léchait les mains et le visage pour le consoler, provoqua, au contraire, une recrudescence de larmes.

Belle était la chienne de Bertrand de Gourron. Il l'avait laissée au château parce qu'elle était sur le point de mettre bas et n'aurait pas supporté le voyage. Longtemps inconsolable du départ de son maître, elle avait fini par s'attacher à Jordan qu'elle suivait partout. Le jeune seigneur aimait la grande chienne fauve au pelage doux. Il savait qu'elle reviendrait à son premier maître lorsqu'il apparaîtrait, mais cette perspective ne l'attristait pas : il serait heureux de partager avec son père l'affection de la chienne. Jordan lui parlait souvent de

Bertrand. Posant son nez sur la truffe humide de Belle, il lui murmurait : « Quand il sera de retour, on ira courir le lièvre, tous les trois. » La chienne remuait la queue de plaisir et lui léchait le visage à grands coups de langue. Mais aujourd'hui, il n'était pas question de chasse. Jordan, désespéré, pleurait dans la fourrure de son amie : « Il ne reviendra pas, Belle, il ne reviendra jamais plus. » L'animal semblait le comprendre et poussait de petits gémissements plaintifs.

Jordan ne pensait pas qu'à son père : il songeait aussi à l'avenir, qu'il prévoyait terrible. Sicard, désormais maître de la seigneurie, allait imposer son autorité à tous. L'ancien capitaine le détestait et allait s'ingénier à lui rendre la vie impossible. Le garçon, qui savait que personne ne pourrait l'aider, eut soudain envie de quitter Gourron, de s'en aller le plus loin possible pour échapper à la méchanceté de son ennemi.

Paulin vint le rejoindre et fit semblant de ne pas remarquer les larmes qu'il essuyait rageusement de son poing fermé.

— Je ne suis pas venu tout de suite parce que je voulais voir comment ça se passait avec le vieux seigneur.

— Et alors ?

— Il l'a bien reçu, mais en précisant qu'il lui confiait la seigneurie jusqu'à ce que tu aies l'âge de t'en occuper. En regardant Sicard bien dans les yeux, il a insisté : « L'héritier de Gourron, c'est Jordan, mon petit-fils. »

Pour la première fois depuis le retour des pèlerins, l'ombre d'un sourire passa sur le visage de Jordan.

— Il n'a pas dû apprécier !

— Pas beaucoup, en effet, mais il a sauvé la face en disant qu'il l'avait toujours su.

Paulin ajouta :

— Ton grand-père veut te voir. Tu dois aller le rejoindre à la chapelle avant le festin.

Jean-Blaise était déjà là. La tête inclinée, le visage dans les mains, il priait, demandant à Dieu de lui donner de bons arguments pour convaincre son petit-fils. Entendant du bruit derrière lui, il se retourna et regarda avec affection Jordan qui approchait. Le garçon se jeta dans ses bras. C'était un geste enfantin que le jeune seigneur n'avait pas fait depuis longtemps, mais aujourd'hui son univers, qu'il avait cru aussi solide que les murailles de Gourron, s'était effondré et il avait besoin du réconfort de son grand-père.

Le vieil homme avait pour mission d'obtenir de son petit-fils qu'il s'excuse publiquement auprès de Sicard et fasse acte de soumission. Son futur beau-père l'exigeait et ne reviendrait pas là-dessus.

Jordan poussa les hauts cris : il n'en était pas question ! Jamais il ne reconnaîtrait l'autorité de cet usurpateur ! Sicard n'avait pas le droit de se comporter en seigneur de Gourron.

— Tu sais bien que si, puisqu'il sera bientôt l'époux de ta mère.

— Mais pourquoi n'a-t-elle pas refusé ? Je la déteste !

— Elle n'avait pas le choix, Jordan : il l'y a obligée. Il voulait devenir le maître, et le moyen le plus facile était d'épouser la dame du château. Tout ce qu'elle a pu obtenir, c'est un sursis, mais elle devra tenir sa promesse après les vendanges.

Un an, exactement, après la disparition de ton père.

— Quand je serai grand... gronda Jordan les dents serrées.

— Quand tu seras grand, ce sera toi le seigneur : je l'ai dit à Sicard devant la garnison et je vais le répéter à l'assemblée des vassaux qu'il va convoquer dans quelques jours. Lorsque tout sera bien clair pour tout le monde, je retournerai à mon couvent.

— Je veux partir avec toi, dit spontanément Jordan, je ne veux pas vivre avec cet homme.

Jean-Blaise faillit lui expliquer que c'était impossible, car il devait rester à Gourron pour apprendre son métier de futur chevalier, mais il pensa que c'était la meilleure façon de le braquer. Il valait mieux faire semblant d'accepter et l'amener à comprendre tout seul que son idée n'était pas la bonne.

— Tu veux venir au monastère avec moi ? Pourquoi pas ? Il y a quelques garçons de ton âge qui sont éduqués par les religieux. Dès leur arrivée, on leur donne une robe de bure pour qu'ils apprennent à marcher à petits pas, comme les vrais moines.

Jordan fit la moue, mais son grand-père feignit de ne pas s'en apercevoir et continua :

— Ils assistent à tous les offices de la journée, de matines, avant le lever du jour, jusqu'à complies, à la nuit tombée. Ils chantent les hymnes. Leurs voix sont très belles et j'ai toujours beaucoup de plaisir à les entendre.

Le visage de Jordan s'allongeait, mais Jean-Blaise poursuivit, impitoyable :

— Tous les jours, un maître leur apprend à lire et à écrire le latin. Chacun est attaché à un moine âgé qui lui transmet ses connaissances : les uns deviendront copistes et passeront leur vie à recopier ou à enluminer des manuscrits, d'autres apprennent les propriétés des plantes avec le frère apothicaire pour soigner les pèlerins de passage, d'autres encore ne font que prier, tout le jour et une partie de la nuit, pour leurs frères pécheurs. Et toi, Jordan, que vas-tu choisir d'apprendre au monastère ?

— Mais moi, je veux être chevalier !

— Dans ce cas...

Morne et résigné, Jordan céda :

— D'accord, je vais rester. Et je dirai à Sicard tout ce qu'il faudra.

Cependant, il se redressa et ajouta, la voix vibrante de rage :

— Quand je serai grand, je me vengerai !

La main sur son cœur, il prononça solennellement :

— Je le jure sur la mémoire de mon père.

Jean-Blaise avait réussi sa mission puisque Jordan acceptait de se soumettre, mais il n'en ressentait aucune joie. Cet enfant, qu'il aimait tant, allait vivre des moments très durs sous la coupe d'un homme violent et vindicatif, et lui, Jean-Blaise, devait s'en aller, car il était trop vieux pour affronter Sicard.

2

Un conciliabule intrigant

Jean-Blaise était parti loin de Gourron et de Jordan. Le fragile rempart que le vieil homme avait élevé entre le nouveau maître et son futur beau-fils n'existait plus : Jordan était désormais à la merci de Sicard.

Depuis le retour des pèlerins, la vie de Jordan était difficile et il savait qu'elle ne s'améliorerait pas. Le front lui cuisait encore au souvenir de la honte du premier jour : Sicard l'avait fait mettre à genoux pour demander pardon. Il en avait profité pour lui annoncer qu'il allait s'occuper personnellement de son éducation, scandaleusement négligée jusque-là. Cette scène pénible avait eu lieu devant tout le monde : sa mère, son grand-père, les soldats de la garnison et les serviteurs. Sicard les avait avertis qu'il ne tolérerait aucune indulgence envers le jeune seigneur : quiconque serait pris à l'aider serait sévèrement châtié. En disant cela, il les avait regardés tour à tour, y compris dame Garsie, qui semblait prête à fondre en larmes, et un frisson de crainte avait parcouru l'assistance.

Il y avait eu un répit pendant que les vassaux étaient réunis au château pour prêter serment au nouveau maître, car Sicard était trop occupé pour se soucier de Jordan. À l'exception de la cérémonie, que le jeune garçon aurait voulu pouvoir effacer de sa mémoire, il avait mené sa vie habituelle pendant les trois jours de fête.

Mais cette cérémonie ! Quelle humiliation ! Sicard avait exigé qu'il lui prête serment, comme s'il était son vassal, alors que le vrai seigneur, c'était lui, Jordan. L'imposteur était assis sur le fauteuil de bois sculpté qui avait été celui de son père et de son grand-père. Sur une petite table dressée devant lui reposait un précieux reliquaire* en ivoire. Il avait

---

* *Un reliquaire* est une sorte de coffret dans lequel est conservée une relique. *Une relique* est une partie

été ramené de Compostelle avec un morceau du manteau de saint Jacques. Chaque homme s'avançait, mettait un genou à terre, posait avec respect sa main sur le petit coffre qui contenait la relique et promettait au nouveau seigneur de lui être fidèle.

Ces vassaux, qui acceptaient Sicard pour maître, étaient les mêmes qui s'étaient inclinés devant Jordan lorsqu'il avait eu sept ans. Ce jour-là, sur l'estrade où l'ancien capitaine trônait maintenant tout seul, le jeune seigneur était entouré de son père et de son grand-père et il était le héros de la fête. «Les vassaux sont toujours du côté du plus fort», pensa-t-il avec mépris. Si Bertrand de Gourron n'était pas mort...

Une bouffée de douleur lui revint, comme chaque fois qu'il pensait à son père. Personne ne parlait du seigneur mort au combat : Sicard l'avait interdit. Jordan aurait aimé qu'on lui raconte ses derniers moments. Il aurait tiré une sorte

du corps d'un saint ou un objet lui ayant appartenu. Au Moyen-Âge, les reliques sont très honorées; églises et monastères veulent en posséder pour attirer les pèlerins.

de consolation à entendre les exploits de son héros. Il avait espéré interroger sa mère, mais Sicard avait adjoint à l'entourage de dame Garsie une nouvelle dame de compagnie, Nicolette, qui l'espionnait et veillait à ne jamais laisser seuls la mère et le fils. Quant aux soldats revenus du pèlerinage, ils se détournaient lorsque Jordan s'approchait d'eux, comme s'ils craignaient quelque chose.

Après le départ des vassaux, la première brimade n'avait pas tardé : Sicard avait renvoyé Paulin travailler aux champs avec ses parents, sous prétexte qu'il exerçait une mauvaise influence sur Jordan. Dame Garsie avait tenté sans succès de plaider sa cause. À cette occasion, tout le monde, à la seigneurie, avait compris que la châtelaine n'avait aucune influence sur son futur époux. Elle qui était, autrefois, si vive et si joyeuse, ne chantait plus, ne souriait même plus.

Paulin n'avait pas été le seul à disparaître de l'entourage de Jordan : les jeunes paysans avec lesquels il jouait à la guerre, dans la forteresse miniature construite pour lui du temps de son père, étaient eux aussi retournés aux champs.

Il n'y avait plus de place pour le jeu dans la vie du jeune seigneur. Non seulement Sicard exigeait de lui un entraînement aux armes extrêmement dur, mais il lui faisait faire des corvées normalement réservées aux serviteurs. Tous les jours, Jordan devait nettoyer les soues à cochon et transporter le fumier hors du château avec une brouette. Il accomplissait l'humiliante corvée sous le regard satisfait de son futur beau-père, qui y assistait fréquemment. Jordan haïssait tellement Sicard que, par moments, il avait l'impression que ce sentiment l'étouffait.

Pour Paulin la vie n'était pas facile non plus : tous ceux qui l'avaient jalousé, lorsqu'il était le compagnon du seigneur, le bousculaient en se moquant de lui, maintenant qu'il était en disgrâce. Sa belle-mère l'appelait « l'inutile » et remplissait moins son assiette de soupe que celle des autres. Elle lui en voulait, car il ne rapportait plus de nourriture à sa famille depuis qu'il avait été banni du château. Maltraité et perpétuellement affamé, il ne tarda pas à braver l'interdiction : il retourna à l'intérieur de la forteresse. Il savait que pour les gens du château, tous les enfants de paysans se ressemblaient, à condition de ne rien avoir qui sorte de l'ordinaire. Paulin était beaucoup mieux vêtu que les garçons du village, car il recevait les vieux habits de Jordan, et ce détail était suffisant pour le faire repérer. Il résolut le problème grâce à la complicité de Jeannot, un des favoris de Jordan, avec qui il échangea ses vêtements. Ainsi équipé, il franchit la porte en même temps qu'une charrette de foin et passa totalement inaperçu.

Son premier mouvement fut d'aller trouver Guillemette, pour qu'elle lui donne à manger. Quand il approcha des cuisines, l'odeur des viandes rôties lui chavira l'estomac. Il avait si faim! La vieille nourrice, occupée à plumer un faisan, était assise sur un tabouret, le volatile posé sur un genou, les jambes écartées pour recueillir les plumes dans son tablier de devant.

En voyant Paulin, elle s'exclama :

— Qu'est-ce que tu fais là, toi? On ne t'a pas interdit de venir au château?

Les aides de cuisine, cinq ou six jeunes paysannes, entourèrent le garçon :

— Si tu te fais prendre, hou là là... !

— Je ne voudrais pas être à ta place si le maître te voit !

— S'il t'attrape, le dos va te cuire longtemps !

Les commentaires des jeunes filles firent comprendre à Paulin à quel point il avait été imprudent : si quelqu'un avertissait Sicard de sa présence au château, il lui ferait donner les verges.

Paulin avait déjà vu appliquer ce châtiment : le garde désigné pour le faire allait d'abord sur la berge du Rivas choisir une belle tige d'osier, souple et résistante ; ensuite, il dénudait le dos du condamné et le frappait de toutes ses forces. Le sang jaillissait au deuxième ou au troisième coup. Quand la sentence dépassait les vingt coups, le malheureux n'y survivait généralement pas. Le jeune paysan n'avait pas pensé à cela, mais maintenant, il se rendait compte du danger. Oubliant qu'il avait faim, il voulut battre en retraite avant d'être pris.

Trop tard : les pas lourds d'un homme chaussé de bottes de cavalier approchaient et on entendit la voix de Raymond, l'homme de confiance de

Sicard. Paulin n'eut que le temps de penser qu'il était perdu : Guillemette cria « Vite ! », des mains l'attrapèrent, le poussèrent, et il se retrouva accroupi, dissimulé sous le tablier de la nourrice qui posa le faisan sur sa tête et continua sa besogne.

Le sbire de Sicard était un glouton qui faisait souvent des incursions aux cuisines entre les repas. Il réclama un morceau du chevreuil qui était en train de rôtir et dont les effluves de chair grillée l'avaient attiré en ce lieu, comme ils y avaient conduit Paulin. Guillemette lui répondit qu'il n'était pas assez cuit. En remplacement, elle s'empressa de lui proposer du jambon dans l'espoir qu'il le poserait sur son pain pour le manger en s'en allant et les délivrerait rapidement de sa présence. Peine perdue : Raymond s'installa à la table, mastiqua longuement et en redemanda.

Pendant ce temps, Paulin respirait mal sous le tablier de Guillemette. Non seulement il manquait d'air, mais il était assailli par toutes sortes d'odeurs. Pour éloigner la maladie et le mauvais sort, la nourrice portait sous sa robe des herbes diverses, parmi lesquelles il reconnut la sauge, la menthe et l'armoise. Dominant les autres, il y avait le puissant arôme de l'ail dont ses vêtements étaient imprégnés. Sous la tente formée par le tablier, l'air, devenu rare, mélangé à toutes ces senteurs, commençait de lui tourner la tête. Le comble fut atteint lorsqu'un duvet de faisan, qui s'était insinué sous le tablier, commença à lui chatouiller les narines. Il aurait voulu éloigner la plume de son nez, mais il ne pouvait pas bouger sans révéler sa présence. Pourvu qu'il n'éternue pas ! Si Raymond s'apercevait qu'il était là... Paulin ne voulait pas y penser, mais il ne pensait qu'à ça.

L'homme de Sicard ne partait pas. Paulin mettait toute sa volonté à se concentrer pour rester immobile, mais il sentait qu'il ne tiendrait pas longtemps : s'il ne voulait pas mourir étouffé, il fallait qu'il sorte la tête. Au moment où il allait surgir de sa cachette, préférant être battu que mort, il entendit un rot bruyant, puis des pas qui s'éloignaient. Guillemette le retira enfin de sous son tablier, à moitié inanimé et tremblant de frayeur.

La vieille nourrice commença par lui donner à manger, puis elle le gronda sévèrement :

— Tu te rends compte du danger que tu nous as fait courir ? Si tu avais été pris, tu n'aurais pas été le seul à recevoir les verges : on nous aurait punies nous aussi. Ce n'est pas bien de nous placer dans une situation pareille. Promets-moi de ne plus revenir !

Paulin, honteux, jura de ne plus mettre en péril ces femmes qui avaient eu la générosité de le protéger.

Cependant, il ne renonçait pas à son but :

— Je veux voir Jordan et je reviendrai au château, mais pas aux cuisines.

— Tu trouveras de la nourriture sous les ferrailles du forgeron, promit Guillemette.

Paulin ouvrit de grands yeux : comme Jordan, il avait toujours cru que leur cachette était secrète, et voilà que la vieille nourrice la connaissait !

Guillemette lui fit un clin d'œil malicieux :

— Moi, je sais tout !

Et, redevenant sérieuse, elle ajouta :

— File, maintenant, et fais attention !

En sortant des cuisines, Paulin décida d'aller à la cachette, persuadé que Jordan y viendrait tôt ou tard. Le trajet, pour s'y rendre, était périlleux, car il fallait passer devant l'écurie, l'endroit le plus fréquenté du château. Il rabattit le capuchon de sa tunique sur sa tête, fit une muette prière à sainte Anne pour qu'elle le protège et s'engagea dans la cour. Ses jambes tremblaient un peu, car il était encore sous le coup de la peur causée par la présence de Raymond.

Alors qu'il était à découvert, un homme sortit de l'écurie : Félicien, le palefrenier qui lui avait appris à monter à cheval. Le vieil homme n'avait pas besoin de voir son visage pour le reconnaître, son allure suffisait : depuis trois ans, Paulin passait la moitié de ses journées à l'écurie. Félicien allait-il le dénoncer ? Le jeune paysan rentra la tête dans ses épaules en attente de la catastrophe, mais le palefrenier ne dit rien. Tout en faisant semblant de ne pas le voir, il lui désigna deux soldats d'un petit signe du menton. Ils discutaient avec animation, quoique à voix basse, à quelques pas de là. Le garçon comprit qu'il devait s'en méfier et regarda bien les deux hommes afin de ne pas les oublier. Ce serait facile, car ils étaient remarquables : l'un d'eux était très grand, presque un géant, et l'autre avait les cheveux blonds, une couleur exceptionnelle dans la région. Paulin n'avait vu qu'une fois cette couleur de cheveux chez un pèlerin de passage qui venait d'un lointain pays du nord. Comme il ne connaissait pas ces hommes, il supposa qu'ils avaient été engagés pendant le pèlerinage.

Paulin atteignit le refuge sans se faire repérer et s'affaissa sur la terre battue, complètement épuisé par l'émotion. Comme Jordan tardait à paraître, il finit par s'endormir.

Lorsqu'il s'éveilla, la lune était haute dans le ciel. Jordan n'était pas venu et les portes avaient été fermées pour la nuit. Paulin, prisonnier du château, ne pouvait pas retourner au village. Ce n'était pas bien grave, car la nuit était douce. La faim, de nouveau, le tenaillait, mais chez lui, cela n'aurait guère été différent puisque sa belle-mère ne lui donnait presque rien à manger. Il allait se rendormir quand des voix attirèrent son attention. Avec Jordan, il avait ménagé, entre les ferrailles, un espace qui permettait de voir sans être vu. Cela lui permit de reconnaître les deux soldats contre lesquels Félicien l'avait mis en garde. La curiosité éveillée, il fut très attentif à leurs paroles quand ils passèrent près de lui.

C'était le blond qui parlait ; il essayait de persuader son compagnon :

— Je t'assure qu'il n'y a pas de risque ! Et nous en tirerons un bon profit.

Mais le géant n'était pas convaincu :

— Si le maître l'apprend...

Il laissa la phrase en suspens quelques secondes et ajouta, avec une nuance de terreur dans la voix :

— Tu sais bien qu'il est sans pitié. Souviens-toi d'Urrugne !

— Tais-toi ! On ne doit jamais parler de ça !

Les deux hommes s'éloignèrent et Paulin ne les entendit plus. Il était très intrigué et réfléchit longtemps à la conversation qu'il avait surprise, mais il n'en avait pas entendu assez pour comprendre de quoi ils discutaient. Il avait hâte d'en parler à Jordan !

Le lendemain matin, le jeune seigneur, averti par Guillemette de la visite de Paulin aux cuisines, alla voir si son ami était dans leur cachette dès qu'il put s'éclipser. Il lui apportait du pain et des noix préparés par la nourrice. Paulin se jeta sur la nourriture tandis que Jordan l'assaillait de questions. N'étant pas sorti librement depuis plusieurs jours, il brûlait de s'échapper et voulait que le jeune paysan lui dise de quelle manière il était entré pour employer le même subterfuge.

— Je ne crois pas que ce soit possible.

— Mais si : tu me donnes tes habits, je mets le capuchon, et je passe. Rien de plus simple.

— Même avec ma tunique, tu n'auras jamais l'air d'un paysan.

— Pourquoi donc ?

— Parce que tu marches trop droit, tu n'as jamais appris à courber l'échine. Attends plutôt de savoir qui est ton ami et qui est ton ennemi : je suis sûr qu'il y a des gardes qui te laisseront passer.

Pour appuyer ses dires, il lui rapporta comment Félicien s'était comporté la veille. Il y avait également Guillemette et ses aides qui le soutenaient.

— Mais comment savoir qui est de mon côté ?

— Observe-les bien : tu apprendras vite qui veut se faire bien voir de Sicard à tes dépens.

Pour éviter que la discussion ne s'éternise, il changea de sujet :

— Je crois qu'il y a quelque chose d'intéressant à découvrir à l'intérieur du château.

Et il lui raconta ce qu'il avait entendu pendant la nuit. Jordan se passionna pour la nouvelle qu'ils commentèrent longuement, essayant de comprendre de quoi il s'agissait. Mais ils n'avaient pas assez d'informations. Tout ce qu'ils savaient, c'était que les deux compères préparaient un mauvais coup et que Sicard les terrorisait à cause d'un événement tenu secret.

Lorsque Jordan quitta Paulin, ce n'était plus le garçon abattu qui était arrivé un peu plus tôt. Il avait maintenant un but : découvrir le secret de Sicard dans l'espoir qu'il lui permette d'empêcher son mariage avec sa mère.

3

UN ALLIÉ INATTENDU

Le premier soin du jeune seigneur fut de faire le tri entre ses amis et ceux de Sicard. Paulin avait raison, ce n'était pas difficile : il suffisait de désobéir. Au lieu de nettoyer les porcheries, il s'asseyait par terre, contre le mur, et jouait aux osselets, à la vue de tous. Les uns faisaient semblant de ne pas s'en apercevoir ou l'avertissaient quand il y avait un danger, les autres se dépêchaient d'aller le dire à Sicard ou à Raymond. Il y gagna bon nombre de corvées supplémentaires, mais cela en valait la peine, car il sut bientôt exactement à qui il avait affaire.

Jordan découvrit ses ennemis sans surprise. Il y avait d'abord les favoris de Sicard, qu'il connaissait bien parce qu'ils étaient déjà les protégés du capitaine du temps de son père. Bastien, un garçon d'écurie de son âge dont il ne s'expliquait pas l'agressivité, était aussi contre lui. Et il y avait bien sûr les nouveaux venus, ceux qui avaient été engagés lors du pèlerinage pour remplacer les soldats morts au combat. Parmi eux, le géant et le blond étaient les plus empressés auprès du nouveau maître. Cela ne signifiait pas que tous les autres étaient prêts à aider le jeune seigneur mais, du moins, ils ne le dénonceraient pas. Grâce à sa petite expérience, Jordan put constater que Sicard n'était pas très aimé à Gourron et cela lui donna du courage pour supporter les punitions.

Quand le repérage fut terminé, Jordan s'appliqua à paraître soumis et obéissant. Au début, l'ancien capitaine se méfia d'une bonne volonté aussi soudaine qu'inattendue et ne diminua pas sa sévérité. Mais comme Jordan persistait dans sa nouvelle attitude, après une semaine ou deux, Sicard, croyant qu'il l'avait enfin maté, relâcha sa surveillance, car il avait bien d'autres choses à faire. Il aurait été fort étonné d'apprendre qu'il n'avait fallu que quelques jours à Jordan et à Paulin pour circuler à leur guise, à l'intérieur de la forteresse et au-dehors, avec la complicité d'une partie des serviteurs et de la garnison.

Évidemment, ce n'était pas la belle vie d'autrefois : Jordan était obligé d'exécuter des travaux qui n'incombaient pas d'habitude à un fils de seigneur et, surtout, son ami ne partageait plus sa vie. Finies les belles chevauchées, finie la chasse, finis les combats avec leur épée de bois, finis, également, les grands après-midi de jeux avec les jeunes paysans du village... Mais ils avaient un mystère à éclaircir et un ennemi à abattre, et cette nouvelle forme de chasse, qui n'était pas exempte de danger, ajoutait du piment à leur existence.

Ils se mirent d'accord pour surveiller les moindres mouvements des deux comploteurs surpris par Paulin et essayer d'entendre leurs conversations. Cette nuit-là, ils avaient fait allusion d'une part à la possibilité d'un profit illicite et, d'autre part, à un événement dont le souvenir les effrayait. Le jeune paysan avait bien retenu leurs paroles :

« Souviens-toi d'Urrugne ! — Tais-toi ! On ne doit jamais parler de ça ! »

Ces hommes devaient savoir beaucoup de choses.

— Ah, soupira Jordan, si on pouvait les faire parler...

— Mais on ne peut pas. Il faut arriver à savoir par d'autres moyens. Et d'abord ce que signifie « Urrugne ».

— C'est peut-être le nom de quelqu'un...

— Ou d'un lieu...

— Et si ma mère le savait ? Je vais essayer de la voir seule. À la chapelle, peut-être... Guillemette va m'arranger ça.

Dame Garsie, apprenant que son fils voulait lui parler, se débrouilla pour se rendre seule à la chapelle. Il ne lui fut pas facile de se débarrasser de Nicolette, la nouvelle dame de compagnie qui la surveillait sans cesse, mais elle y parvint. Elle pensa qu'elle tenterait de le refaire, même si elle n'avait pas rendez-vous avec Jordan, pour le plaisir d'avoir l'impression d'être libre un moment.

Lorsque Jordan arriva, elle le serra très fort dans ses bras. Dame Garsie était terriblement émue, car c'était la première fois qu'elle était seule avec son fils depuis son retour. Jordan partageait son émotion, mais il n'oubliait pas que le temps leur était compté et que sa mère pouvait l'aider dans ses investigations. S'arrachant à ses baisers, il lui demanda si Urrugne lui rappelait quelque chose.

Dame Garsie devint extrêmement pâle et se mit à trembler : elle semblait incapable de prononcer un mot. Jordan eut pitié d'elle et la reprit dans ses bras. Mais, comme le temps passait et qu'il n'était pas sûr d'arriver à la voir seule une deuxième fois, il insista :

— Mère, s'il te plaît, réponds-moi ! Je dois savoir !

Dame Garsie se ressaisit :

— C'est là que ton père a disparu.

Jordan était stupéfait :

— Donc, à cet endroit, il y a eu une bataille ?

— Non, pas vraiment. C'est arrivé pendant la nuit. Au matin, il y avait deux morts, mais on n'a jamais su ce qui s'était vraiment passé.

— Et mon père a été enterré là ?

— Non. On n'a pas retrouvé le corps de ton père. Il a disparu.

— Alors, dit Jordan plein d'espoir, il est peut-être encore vivant ?

Dame Garsie caressa les cheveux de son fils et sourit tristement.

— N'espère pas ça, Jordan. On l'a cherché partout. On est restés plusieurs semaines au même endroit dans l'espoir de le voir revenir. On a interrogé tous les pèlerins de passage. Mais personne ne l'avait vu. Il est probable que les brigands l'ont amené avec eux dans l'intention de demander une rançon. Mais il devait être blessé, et il a dû mourir. Ils l'auront enterré dans la montagne.

Jordan aurait voulu poser d'autres questions, mais on entendit du bruit à l'extérieur et il se glissa sous la nappe de l'autel pour ne pas être surpris. À travers les trous de la broderie, il vit Sicard s'engouffrer dans la chapelle et jeter autour de lui des regards suspicieux. Mais il n'y avait là que la dame. Elle était à genoux, absorbée dans ses prières. Ce spectacle le calma et Jordan espéra qu'il s'en irait sans rien dire. Malheureusement, Sicard la prit par le bras et l'entraîna.

— Venez, dit-il, vos dames de compagnie s'inquiètent de votre disparition.

Paulin, mis au courant, tenta de freiner l'enthousiasme de Jordan. Contrairement à son ami, il était du même avis que dame Garsie : si le seigneur de Gourron avait été vivant, il aurait reparu depuis longtemps. Jordan n'insista pas, mais il ne changea pas d'opinion : tant qu'il n'aurait pas le témoignage de quelqu'un ayant vu le cadavre de son père, il continuerait d'attendre son retour.

Il n'en parla plus à Paulin, ni à sa mère, qui était de plus en plus surveillée, mais il faisait des confidences à Belle lorsqu'ils étaient seuls. Les bras autour du cou de la chienne, la joue contre son pelage soyeux, il lui murmurait ses espoirs :

— Tu sais, Belle, mon père n'est pas mort, j'en suis sûr. Quand les bandits l'ont frappé, il a dû perdre la mémoire. Il reviendra quand il la retrouvera. Ce jour-là, Sicard sera chassé et tout redeviendra comme avant.

On était au mois de juin et le remariage de sa mère n'était prévu que pour octobre, après les vendanges. D'ici là, se disait Jordan optimiste, bien des choses ont le temps d'arriver.

Sicard, invité à une grande chasse chez un vassal de Gourron, emmena Jordan avec lui. Le garçon, qui savait que sa seule présence agaçait le nouveau maître, en fut surpris : il aurait imaginé que Sicard en profiterait plutôt pour passer quelques jours sans le voir. Au contraire, il le faisait chevaucher à ses côtés, comme un personnage important, et il s'efforçait de lui dire un mot aimable quand quelqu'un était assez près d'eux pour l'entendre.

Jordan comprit que la raison des agissements de Sicard était politique : l'ancien capitaine faisait de son mieux pour rassurer les vassaux qui se méfiaient de lui. Il voulait les convaincre que son seul but était de former Jordan, à qui il céderait la place dès que le garçon aurait l'âge et la compétence nécessaires.

Mais Jordan n'était pas dupe. Il avait deviné le calcul de Sicard : le nouveau maître de Gourron voulait gagner assez de temps pour remplacer tous ceux qui avaient été très attachés à Bertrand de Gourron par des hommes à lui. Ainsi, personne ne risquerait de se révolter quand il prendrait le pouvoir pour lui-même. « Lorsque sa puissance sera reconnue de tous, il se débarrassera de moi », pensa Jordan avec un frisson de crainte.

Ils chassèrent pendant trois jours. Jordan, qui était désormais exclu de ce plaisir, tenta d'oublier la présence de Sicard pour jouir pleinement de cette récréation. Le premier jour fut consacré aux perdrix et le jeune garçon, rouge de fierté, reçut les compliments des chasseurs pour son habileté à l'arc. Pour le lièvre, il se débrouilla aussi très bien, mais il ne put qu'assister à la chasse au sanglier car il était encore trop jeune pour y participer activement. Vers la fin de la dernière journée, ils poursuivaient un vieux mâle et Sicard, tout à l'excitation de la chasse, avait complètement oublié Jordan qui suivait à quelque distance.

Le jeune seigneur s'aperçut soudain qu'il était entouré de cavaliers qui le forcèrent à ralentir l'allure jusqu'à provoquer son arrêt complet. Il reconnut alors le seigneur de Larboust et ses hommes, ceux-là mêmes qu'il avait suivis contre leur gré lors de la chasse aux brigands qui s'était terminée par son accident. Tous ses malheurs présents venaient de là : s'il n'avait pas désobéi en ce jour maudit, ses parents n'auraient pas été obligés de se rendre à Saint-Jacques-de-Compostelle. Aujourd'hui, c'est avec son père qu'il suivrait cette chasse, et ils seraient tous heureux...

Il se demanda ce que lui voulait le seigneur de Larboust. Se souvenant de la colère qu'il avait manifestée autrefois en le découvrant dans sa troupe, il craignit qu'il ne profite des circonstances pour se venger. N'ayant rien à perdre, il le défia du regard.

Quelle ne fut pas sa surprise de voir le seigneur et ses hommes descendre de cheval et mettre un genou à terre ! Ils lui prêtèrent serment d'obéissance et lui promirent leur protection.

Devant son air étonné, le seigneur de Larboust s'expliqua. Il dit à Jordan qu'il n'avait pas oublié son attitude le jour de l'accident. Le jeune seigneur aurait pu rapporter à Bertrand de Gourron que lui et sa troupe l'avaient laissé sans protection pour se mettre à la poursuite d'un sanglier. S'il l'avait su, le suzerain leur aurait retiré sa confiance. Or, Jordan n'avait rien dit. Son comportement avait été celui d'un chevalier : loyal et courageux. Le seigneur de Larboust avait une dette envers le jeune seigneur de Gourron et il entendait lui prouver sa reconnaissance.

Pendant ces trois derniers jours, Larboust avait bien observé Sicard, et il ne le croyait pas de bonne foi. Il pensait que son jeune suzerain aurait besoin d'aide à un moment donné et se déclara prêt à voler à son secours : Jordan n'aurait qu'à lui envoyer un messager, et il accourrait.

Jordan n'en revenait pas : lui qui se croyait abandonné de tous – ou presque : il y avait bien Paulin, Guillemette et Félicien, mais ils étaient sans pouvoir face à Sicard –, il se découvrait un allié d'importance. Larboust possédait une forteresse et des soldats. Même si sa troupe était moins importante que celle de l'usurpateur de Gourron, elle n'était pas négligeable.

Le jeune seigneur s'en retourna le cœur léger et se hâta d'annoncer la bonne nouvelle à Paulin, qui se réjouit avec lui.

4

DES AGISSEMENTS
INCOMPRÉHENSIBLES

Paulin avait lui aussi des choses à raconter. Pendant l'absence de Jordan, leurs suspects, le géant et le blond, avaient eu un comportement des plus bizarres : ils avaient fait la tournée des cimetières en compagnie de Bastien, le garçon d'écurie.

Jordan s'exclama :

— Bastien ! Ça ne m'étonne pas qu'il soit complice de ces vauriens : il me surveille toujours et rapporte tout ce que je fais à Raymond ou à Sicard. Je lui dois plus d'une rossée. S'il peut se faire prendre, je serai bien content de le voir châtié !

— Il va d'abord falloir que tu devines ce qu'ils font. Moi, je n'y comprends rien !

Mais pour Jordan, qui écouta attentivement le récit de Paulin, les agissements des trois individus n'étaient pas plus clairs.

Guidés par Bastien, les deux hommes s'étaient d'abord rendus en catimini dans la chapelle du château. Après avoir fait mine de prier, le temps de s'assurer que les lieux étaient déserts, ils s'étaient dirigés vers les cercueils de pierre dans lesquels reposaient les ancêtres de Jordan, le long du mur. Paulin, qui était parvenu à les suivre sans qu'ils s'en aperçoivent, s'était dissimulé derrière les fonts baptismaux d'où il ne perdait aucun de leurs gestes. Bastien, le bras tendu, avait désigné la paroi, au-dessus du gisant* de la grand-mère de Jordan, dame Baptistine, morte bien avant la naissance des deux garçons. Ils avaient discuté un moment tous les trois, en montrant le mur, et avaient l'air en désaccord. Depuis sa cachette, Paulin ne parvenait malheureusement pas à les entendre, et il se demandait ce que le mur de la chapelle pouvait bien avoir de

---

* Un *gisant* est une statue qui représente le mort couché. Il sert de couvercle au cercueil.

si intéressant. Lorsque les trois individus avaient quitté les lieux, ils paraissaient très déçus.

Les deux gardes et leur acolyte avaient ensuite lorgné du côté du monastère. Les religieux étaient enterrés dans un enclos qui bordait le verger. Il y avait là une vingtaine de croix de pierre sur lesquelles étaient gravées des inscriptions. Au centre, une stèle plus élevée, où était creusée une niche, abritait une statue de la vierge. Un mur assez bas entourait l'enclos, invisible depuis les bâtiments du monastère. Les trois larrons s'apprêtaient à l'escalader lorsqu'ils entendirent siffloter à proximité : c'était Gastou. Avec une longue gaule de noisetier, il chassait les merles irrésistiblement attirés par les cerises mûres à point. Gastou était à son poste du lever du jour au crépuscule. Et après les cerises, viendraient les prunes, puis les raisins : le temps où il n'y aurait plus de gardien au verger était encore bien loin. Malgré leur envie de pénétrer dans l'enceinte du monastère, les drôles de compères n'avaient pas osé s'y risquer.

Leur troisième tentative avait été pour le cimetière du village. Il était un peu éloigné des chaumières des paysans, à l'abri de la curiosité des vieillards qui passaient leur temps assis devant chez eux à commenter toutes les allées et venues. Ce cimetière abritait une série de modestes croix de bois à demi enfouies dans l'herbe haute ; elles entouraient un petit socle en pierre surmonté d'une croix en fer rouillé. En temps normal, personne n'y venait. Seulement, il servait de pâture commune*, et le conseil du village avait décidé que c'était le moment de l'utiliser. Le troupeau de moutons était donc là, en train de paître, sous la surveillance de Toine, son berger. Dépités, les trois hommes avaient dû battre en retraite une fois de plus. Lorsqu'ils repartirent vers le château, conclut Paulin, ils avaient la mine basse.

Jordan ne comprenait pas plus que Paulin l'intérêt de ces individus pour les tombes. S'ils avaient été en quête de la sépulture de quelqu'un qu'ils avaient connu, ils auraient posé des questions pour qu'on la leur désigne, mais ce

---

* Une *pâture commune* est une prairie qui n'appartient à personne en particulier et dont tout le monde se sert également.

n'était pas le cas : ils prenaient soin que personne ne se doute de leur recherche qu'ils effectuaient secrètement. Les deux garçons, très intrigués, se promirent de continuer à surveiller les gardes et le garçon d'écurie.

Comme Jordan l'avait prévu, l'amabilité de Sicard disparut avec le retour à Gourron. Il devint même encore plus désagréable qu'avant, comme s'il voulait faire payer au jeune seigneur sa gentillesse forcée. Les corvées et les humiliations se succédaient sans répit. Jordan, plein de colère contre son tourmenteur, devait se mordre la langue pour ne pas lui répliquer, car Sicard n'attendait qu'un signe de révolte pour le jeter au cachot. Le garçon, qui le savait, voulait à tout prix éviter un séjour dans cette prison sombre, humide et pleine de gros rats.

Pour supporter tout cela, Jordan avait l'amitié de Paulin. Le jeune paysan l'aidait discrètement dans son travail lorsque Sicard et ses fidèles avaient le dos tourné et, surtout, il le calmait quand il le voyait prêt à se révolter.

Il y avait aussi la tendresse de Belle. L'animal ne pouvait pas parler, mais il le regardait de ses grands yeux aimants qui semblaient approuver tout ce qu'il lui disait. Quand il décrivait à Belle, pour la millième fois, de quelle façon Sicard quitterait Gourron, abandonné de tous, déshonoré et pieds nus, il se sentait beaucoup mieux.

Malheureusement, pour que l'ancien capitaine soit chassé de la seigneurie, il fallait que Bertrand de Gourron revienne. Or, seul Jordan croyait à son retour : tous les autres étaient sûrs de sa mort.

Dame Garsie avait dit à son fils que personne ne savait ce qui était arrivé la nuit de la disparition du seigneur. Jordan avait du mal à le croire. Afin d'essayer d'en apprendre davantage, il alla poser quelques questions à Joseph, le palefrenier qui avait été du pèlerinage. Joseph aimait bien Jordan et accepta de lui répondre, mais, hélas, il ne savait pas grand-chose : des quatre hommes de garde cette nuit-là, deux avaient été tués et les survivants, qui avaient été assommés, ne se souvenaient de rien. Jordan ne fut pas très surpris d'apprendre l'identité de ces deux gardes : le géant et le blond. Résigné à ne pas en savoir davantage pour le moment, le jeune seigneur se dit que ces individus étaient décidément au cœur du mystère. Il ne fallait surtout pas les perdre de vue !

Jordan aurait voulu interroger de nouveau sa mère, mais elle ne parvenait plus à quitter Nicolette qui la suivait comme son ombre. Comme il s'en plaignait à Paulin, le jeune paysan eut une idée :

— Tu pourrais reprendre l'étude de la lecture et de l'écriture : il y aurait bien un moment, pendant les leçons, où il vous serait possible de communiquer sans qu'on vous entende.

Jordan leva les yeux au ciel.

— Quel ennui, ces leçons ! Tu sais que je déteste ça. Trouve autre chose !

Paulin tenait à son idée et, pendant les jours qui suivirent, il revint à la charge plusieurs fois. Jordan résista de son mieux, car il se souvenait à quel point il avait été content, autrefois, d'abandonner les séances de lecture. Mais il ne trouva pas un autre moyen d'approcher sa mère et, de guerre lasse, il finit par céder.

En voyant le jeune seigneur mettre tant de mauvaise grâce à étudier, Paulin pensa, une fois de plus, que le monde était mal fait : lui qui souhaitait tellement apprendre n'en avait pas la possibilité, et Jordan, qui le pouvait, n'en avait pas envie. Paulin savait encore les mots que dame Garsie lui avait enseignés jadis : pour ne pas les oublier, tous les soirs, avant d'aller se coucher, il les traçait dans la poussière avec un bâton. De cette façon, si un jour la dame recommençait à l'instruire, elle ne serait pas obligée de tout reprendre du début. Mais pour cela, pensa Paulin avec tristesse, il faudrait que Sicard quitte Gourron...

Bien qu'il n'en eût aucunement envie, Jordan annonça donc à sa mère qu'il allait reprendre les leçons interrompues trois ans auparavant. Dame Garsie en fut enchantée, Sicard beaucoup moins. L'ancien capitaine se doutait que le jeune seigneur ne désirait pas vraiment savoir lire, mais il ne trouva aucune raison valable de s'y opposer.

C'est ainsi que tous les après-midi, pendant que Sicard était à la chasse, Jordan se rendait dans la chambre des dames. Faussement attentif, il se penchait avec sa mère sur les pages enluminées* à l'or fin de la Bible du château, le seul livre que possédait la seigneurie de Gourron.

Le jeune seigneur, qui avait espéré que les leçons de sa mère leur procureraient quelque intimité, dut vite déchanter : Nicolette était toujours dans les parages et se montrait très attentive à ce que disaient la mère et le fils. S'ils s'étaient entretenus d'autre chose que du texte biblique, Sicard l'aurait appris aussitôt et aurait mis fin aux leçons.

Jordan, dont le seul but était de parler de son père et des deux gardes, se découragea assez vite. Sans l'insistance de Paulin, il aurait abandonné.

— Nicolette finira par se lasser quand elle verra que vous ne faites que travailler, disait le jeune paysan. Patiente !

Mais la patience ne faisait pas partie des qualités de Jordan. Il confia à son ami, qui n'en crut pas ses oreilles, ce qu'il faisait pour que le temps passe plus vite. Pendant que sa mère lui montrait

* Les *enluminures* sont les lettres majuscules ornées de dessins et les décorations peintes autour des pages des livres.

les lettres, il se rappelait des souvenirs de chasse.

— Mais enfin, s'écria Paulin indigné, comment veux-tu faire croire à Nicolette que tu as vraiment l'intention d'apprendre si tu ne fais rien ? Elle n'est pas idiote, tu sais !

— J'en ai assez ! Tout ça ne m'intéresse pas et je ne veux pas continuer de perdre mon temps !

— Pourtant, ce serait utile...

— Comment ça, utile ? Utile à quoi ?

— Eh bien, vu que tu ne peux pas parler avec ta mère, tu pourrais lui écrire si tu savais le faire.

Jordan regarda son ami avec des yeux ronds :

— Ça alors ! je n'y aurais jamais pensé...

Et de ce jour, dame Garsie eut le bonheur de voir son élève devenir attentif et studieux.

5

UN MYSTÉRIEUX PROJET

Paulin était tout excité : il voulait absolument raconter à Jordan la conversation passionnante qu'il venait de surprendre. C'était l'heure de la leçon d'escrime, et le jeune seigneur s'entraînait dans la basse-cour avec une dizaine de gardes. Paulin se dissimula à proximité pour attendre la fin. Il vit tout de suite que c'était un mauvais jour : son ami était aux prises avec la méchante humeur de Sicard qui critiquait le moindre de ses gestes. À chaque instant, il lui criait que son attaque était trop molle ou sa garde trop lente.

Après une série de remarques méprisantes sur la prétendue maladresse de Jordan, l'ancien capitaine écarta le garde qui faisait face au jeune garçon et prit sa place. D'ordinaire, les adversaires de

Jordan, qui étaient des adultes, ne frappaient pas de toutes leurs forces pour éviter de le blesser. Mais Sicard n'avait pas les mêmes scrupules : sous prétexte de lui montrer comment désarmer son adversaire, il lui assena un coup violent sur le bras. Jordan ne put retenir un cri de douleur. Il était très pâle et semblait prêt à défaillir. Dame Garsie, postée à la fenêtre depuis qu'elle avait entendu Sicard crier après son fils, se précipita dans l'escalier pour lui porter secours. En passant, elle jeta à son futur époux un regard qui montrait combien elle le détestait.

Un peu gêné par l'attitude de la dame et par la désapprobation muette qu'il sentait chez les gardes, Sicard s'éloigna en marmonnant :

— On n'en fera jamais un guerrier si on le dorlote de cette façon.

Les gardes se dispersèrent sans faire de commentaires, tandis que Jordan suivait sa mère aux cuisines pour recevoir les soins de Guillemette.

Aussitôt soigné, il rejoignit son ami dans leur cachette. Son bras était en écharpe et il n'avait pas tout à fait retrouvé ses couleurs.

— Ça va ? demanda Paulin, inquiet.

— Oui. Il n'y a rien de cassé. Guillemette m'a frotté le bras avec de l'arnica. D'après ce qu'elle dit, je devrais pouvoir m'en servir dans quelques jours.

Visiblement il souffrait, mais il ne voulait pas se plaindre et changea de sujet.

— Tu as du nouveau depuis hier soir ?

— Oh oui ! s'exclama Paulin. J'avais oublié.

Et il entreprit de faire à Jordan le récit de ce qu'il avait surpris.

Lorsqu'il avait vu le géant et le blond se diriger vers l'écurie, Paulin les avait discrètement suivis, car il supposait qu'ils y allaient pour rencontrer Bastien. En effet : après avoir vérifié que personne ne les observait, ils s'étaient glissés dans la stalle où le garçon d'écurie pansait un cheval. Paulin, lâchant le balai de bruyère qu'il faisait mine d'utiliser pour ne pas se faire repérer, s'était introduit dans le box voisin. C'était celui de Centaurée, la jument blanche de dame Garsie, qu'il n'avait pas eu le plaisir de monter depuis des mois.

Tout en écoutant la conversation qui se déroulait de l'autre côté de la mince cloison de planches, il caressait doucement le chanfrein de Centaurée qui en fermait les yeux de bonheur.

Paulin l'avait remarqué : c'était toujours le blond qui parlait. Cette fois, il tentait de convaincre Bastien de les accompagner quelque part. Mais le garçon d'écurie ne voulait rien savoir :

— Non. Je n'irai pas. Personne n'y va jamais : ça porte malheur.

— Tout ça, c'est des superstitions : il n'y a que des tombes, il ne peut rien arriver.

— Ne comptez pas sur moi, je ne changerai pas d'avis.

— Mais comment on va le trouver, si tu n'es pas là ?

— Ça, c'est facile : ils l'ont posé dans le creux de l'arbre mort qui est au milieu. La preuve que c'est un endroit maudit : même les arbres n'y vivent pas.

— Puisqu'il est impossible d'avoir les autres, il nous faut absolument celui-là, insista le blond.

— C'est votre affaire. Moi, je ne marche plus. Et je ne vous conseille pas d'y aller pendant le jour, parce que si on vous voit là-bas, ça va éveiller la curiosité.

Pour clore la discussion, Bastien était parti.

Après son départ, le blond avait retenu le géant, qui était prêt à s'en aller lui aussi, en disant :

— Il faut en profiter tant que la lune est pleine, allons-y ce soir !

Comme d'habitude, son compagnon, moins téméraire, avait élevé des objections :

— Si on attendait un peu ? Peut-être qu'il changera d'avis.

— On ne peut pas attendre : le pèlerin est déjà arrivé et il va vite s'impatienter. Si on n'a rien à lui donner, il s'adressera ailleurs. Et puis, n'oublie pas que nous allons être de garde pendant deux jours.

— Oui... bien sûr... Mais comment on va faire pour sortir ?

— C'est simple : il suffit de se laisser enfermer dehors.

— Et après, où va-t-on passer la nuit ? Il y a des loups pas loin, sans compter toutes les autres bêtes...

— On se mettra dans la petite forteresse qui avait été construite pour le jeune seigneur. Là, on sera à l'abri et on ne risquera rien.

Sur ces paroles, ils étaient sortis du box. Paulin, qui les observait au travers des planches mal jointes, s'assura qu'ils avaient bien quitté l'écurie pour s'en aller à son tour, après une dernière caresse à Centaurée.

Jordan et Paulin étaient perplexes : quel pouvait être ce lieu maudit que tout le monde évitait et où il y avait des tombes ? Assurément pas la chapelle ni l'enclos du monastère, ni le village : ces parages étaient fréquentés régulièrement, et d'ailleurs, Bastien y avait conduit les gardes sans réticence. Pourtant, ils avaient beau se creuser la cervelle, ils ne voyaient pas d'autre endroit, à la seigneurie, où l'on enterrait des gens.

Jordan, soudain, se frappa le front :

— Mais oui ! Bien sûr ! Je sais ! Pourquoi on n'y a pas pensé avant ? C'est le cimetière des lépreux !

Paulin devint tout pâle et fit un rapide signe de croix.

— Tu ne veux quand même pas les suivre là-bas ?

— Si! Comment veux-tu qu'on sache ce qu'ils manigancent si on ne les suit pas?

— Mais c'est vrai ce que dit Bastien : c'est un endroit maudit.

— On n'est pas obligés d'entrer. On les suit de loin et on regarde ce qu'ils prennent.

Paulin n'était pas très chaud pour entreprendre cette expédition qui, en plus, aurait lieu de nuit.

— Et nous, où allons-nous coucher?

— Chez tes parents, voyons! Arrête de chercher des complications. On ira, c'est tout.

Toute la journée, Paulin avait pensé avec une angoisse grandissante à la nuit qui les attendait. Il avait peur de la nuit : la nuit est le royaume des ombres et du diable. Les bêtes qui chassent la nuit sont féroces. Elles n'hésitent pas à s'approcher des maisons des hommes. Qui sait ce qu'elles leur feraient s'ils n'étaient pas à l'abri des murs? Or, cette nuit, rien ne les protégerait. La harde de loups qui hurlait depuis des semaines aux alentours, attirée par l'odeur du troupeau du village, s'en prendrait peut-être à eux, puisque les moutons étaient hors d'atteinte, à l'abri des murailles du château...

La nuit terrorisait Paulin, mais les lépreux plus encore. Cette terrible maladie était incurable et contagieuse. Les malheureux qui la contractaient étaient abandonnés de tous, sauf des quelques religieux qui se dévouaient à les soigner et qui finissaient par tomber malades à leur tour. La léproserie était construite à l'écart du village où les lépreux n'avaient pas le droit d'aller. Ils étaient obligés d'agiter une clochette quand ils quittaient leur résidence, pour que les gens soient avertis de leur approche et puissent s'éloigner. On leur interdisait même de boire l'eau des fontaines réservées aux bien-portants. Quand ils mouraient, on ne voulait pas d'eux non plus : le cimetière proche de la léproserie leur était réservé, et personne n'allait y prier, à part quelques lépreux, de temps en temps.

C'est là que Jordan avait décidé de se rendre, sur les traces des deux malfaiteurs, et rien de ce que Paulin avait tenté pour l'en détourner ne l'avait fait changer d'avis.

Dans l'après-midi, les deux garçons, accompagnés de Belle, allèrent traîner dans la partie du monastère qui hébergeait les pèlerins. Ils étaient nombreux à y faire halte, attirés par la présence de la relique de saint Jacques. Certains étaient des seigneurs puissants qui voyageaient en grande pompe, comme les parents de Jordan; d'autres, plus modestes, possédaient une mule ou deux et un seul serviteur. Quant aux plus pauvres, ils n'avaient que leur manteau, leur besace et l'indispensable bâton de pèlerin dont ils s'aidaient pour marcher des centaines, parfois même des milliers de kilomètres. Parmi eux, il y avait souvent des gredins qui profitaient de ces rassemblements pour voler les moins méfiants.

Jordan et Paulin flânèrent un moment. La chienne, excitée par les odeurs étranges que les pèlerins avaient glanées dans leur voyage, allait flairer les uns et les autres. Parfois elle récoltait une bourrade, mais le plus souvent c'était une caresse et elle agitait la queue pour manifester sa joie. Les deux garçons étaient venus se mêler aux voyageurs dans l'espoir d'apprendre quelque chose sur le mauvais coup préparé par le blond et le géant. Mais ce jour-là, il y avait vraiment beaucoup de monde dans la cour du monastère. Des gens s'interpellaient, demandaient la direction des prés pour y mener paître leurs montures, s'installaient dans l'hôtellerie où ils passeraient la nuit, se rendaient à la chapelle pour assister aux offices. Autant chercher une aiguille dans une meule de foin !

Un mendiant, l'air épuisé, s'était détaché d'un groupe qui venait d'arriver pour aller s'adosser au mur de la chapelle, à l'écart des autres. Appuyé sur un bâton, il marchait difficilement. Il y avait souvent des pauvres et des éclopés parmi les pèlerins, et Jordan ne l'aurait pas remarqué sans le curieux comportement de Belle. Bizarrement, la chienne s'était précipitée sur le mendiant en montrant les signes de la joie la plus extravagante. Surpris par cette attitude inhabituelle, le jeune seigneur la rappela, mais elle ne lui obéit pas et continua de faire la fête au miséreux qui tentait de la repousser.

Un attelage de mules séparait Jordan du mendiant. En tentant de rejoindre la chienne, il observa l'individu. Il avait beau chercher dans sa mémoire, il ne connaissait pas cet homme extrêmement maigre, aux cheveux hirsutes et au visage balafré par une énorme cicatrice. Et pourtant, il lui paraissait étrangement familier...

Quand l'attelage eut enfin dégagé le passage, l'homme avait disparu à l'intérieur de la chapelle. Renonçant à le suivre – après tout, ce n'était qu'un mendiant inconnu, et il avait d'autres préoccupations –, Jordan rappela Belle qui lui obéit à regret.

Il se joignit à Paulin pour écouter discourir un vieil homme entouré d'une dizaine de personnes. Comme en témoignait son manteau, le pèlerin revenait du tombeau de saint Jacques : sur son vêtement étaient cousus des coquillages récoltés sur la plage proche du sanctuaire*. Le vieillard donnait des conseils à ceux qui s'y rendaient :

— Pour traverser les Pyrénées, attendez d'être nombreux parce qu'il y a des bandits dans la montagne. Ils guettent

---

* Depuis ce temps-là, on appelle ces coquillages des « coquilles Saint-Jacques ».

les voyageurs isolés pour les dépouiller de leurs biens.

Jordan s'avança dans le cercle des auditeurs et demanda :

— Est-ce que parfois ils s'attaquent aussi à une troupe armée ?

— Non, jamais. Ce sont de petits groupes : ils n'oseraient pas affronter des soldats.

Jordan et Paulin échangèrent un regard. Ils n'avaient pas perdu leur temps : ce qu'ils venaient d'entendre était important. Les déclarations de cet homme prouvaient qu'il y avait quelque chose de louche dans la disparition du seigneur de Gourron : puisqu'une troupe armée le protégeait, il n'aurait pas dû être attaqué par des bandits. Plus que jamais, Jordan voulait éclaircir la phrase des deux gardes : «Souviens-toi d'Urrugne!»

6

UNE EXPÉDITION NOCTURNE

Jordan et Paulin s'étaient dissimulés dans une touffe de genêts, à proximité du bâtiment qui leur avait servi d'aire de jeux pendant des années. Obligés d'attendre sans parler ni bouger, ils songeaient à toutes les belles batailles qu'ils avaient livrées là avec Jacquet, Gastou, Jeannot, Martin et les autres... Ce temps reviendrait-il jamais ?

Personne ne s'était risqué à retourner dans la forteresse depuis l'interdiction de Sicard, et les deux garçons avaient eu une pointe de colère en voyant le géant et le blond en prendre possession avec désinvolture, comme si c'était un lieu public ou abandonné.

Ils étaient arrivés tôt pour être sûrs de pouvoir s'installer à leur poste d'observation avant l'arrivée des gardes, et ils trouvaient le temps long.

Jordan avait d'abord suggéré d'aller tout de suite à proximité du cimetière des lépreux : ainsi, ils n'auraient pas à les suivre et éviteraient le risque d'être entendus et découverts. Mais Paulin voulait passer le moins de temps possible dans ce lieu qui lui faisait peur. Il avait objecté qu'ils n'étaient pas sûrs de la destination des deux gardes : ce serait trop bête de les attendre là s'ils allaient ailleurs. Jordan s'était rendu à ses arguments, et c'est pourquoi ils étaient accroupis au cœur d'un buisson prêts à suivre les gardes dès qu'ils se mettraient en route.

Jordan avait apporté du pain et des pommes. Ils les avaient mangés lentement pour faire passer le temps, puis avaient joué aux dés. Mais le jeune seigneur était malhabile avec sa main gauche, et ils avaient rapidement cessé. De temps en temps, Jordan déplaçait un peu l'écharpe dans l'espoir de soulager son bras. Mais il ne pouvait réprimer une grimace de douleur et Paulin devinait que ça n'améliorait pas grand-chose.

À ses questions inquiètes, Jordan répondait toujours que ce n'était rien et que ça allait passer. Mais son compagnon restait soucieux, car il paraissait fiévreux avec son front humide de sueur et ses yeux trop brillants.

— Il me semble que tu n'es pas bien, dit-il enfin. Veux-tu retourner au château tant que les portes ne sont pas encore fermées?

— Il n'en est pas question! N'oublie pas que ces deux hommes sont les seuls survivants de l'attaque pendant laquelle mon père a disparu. C'est par eux que je saurai un jour ce qui s'est réellement passé. Je veux savoir ce qu'ils recherchent.

Sur ces entrefaites, les gardes étaient arrivés et les deux garçons s'étaient tus. De temps en temps, Paulin regardait Jordan, et son état lui donnait de l'inquiétude.

Les garçons étaient tellement près des deux gardes qu'ils entendaient leur conversation. Ils parlèrent d'abord de choses dénuées d'intérêt: le blond se plaignit de son cheval, prétendant qu'on lui avait donné la plus vieille rosse de la seigneurie et le géant se vanta d'avoir gagné aux dés une gourde de vin.

— D'ailleurs, je l'ai amenée, dit-il. On va en boire un coup, ça nous donnera du courage.

La conversation porta ensuite sur une fille de cuisine qui leur plaisait à tous les deux, puis ils parlèrent de Sicard, toujours dur et souvent injuste.

— D'ailleurs, à Urrugne... commença le géant.

L'autre l'interrompit violemment :

— Tais-toi ! Je t'ai dit de ne jamais parler de ça ! Et arrête de boire : tu as besoin de tous tes sens pour ce que nous allons faire.

L'autre grommela et ils cessèrent de parler. Peu après, depuis leur cachette, les deux garçons entendirent un ronflement sonore. Ce ne fut qu'au moment propice à leur expédition, lorsque la lune fut haute dans le ciel, que la voix du blond se fit entendre de nouveau :

— Réveille-toi ! Il est temps d'y aller.

Suivirent les grognements d'un homme sortant du sommeil, puis ils distinguèrent les deux silhouettes qui enjambaient le mur de la petite forteresse et qui se dirigeaient, comme ils l'avaient deviné, vers la léproserie.

Lorsque Jordan se mit debout, il tituba et Paulin crut qu'il allait tomber.

— Tu vois bien que ça ne va pas ! Il faut abandonner.

— Je n'abandonnerai pas ! C'est parce que je suis resté trop longtemps accroupi. Ça va déjà mieux.

Ce disant, il partit d'un pas hésitant sur la trace des gardes, suivi par son ami de plus en plus inquiet.

Le blond et le géant marchaient d'un bon pas, sans regarder derrière eux. Ils étaient tellement sûrs que tout le monde était couché qu'ils ne se méfiaient même pas. La filature des garçons en fut facilitée.

À mesure qu'ils approchaient du cimetière, le rythme du géant ralentissait. Il finit par s'arrêter en disant qu'il ne voulait pas aller plus loin. L'autre se fâcha :

— Imbécile ! Tu ne vas pas me lâcher maintenant ? On y est presque ! De quoi as-tu peur ?

La voix tremblante, il répondit :

— Des bêtes de nuit... et des revenants...

— Les bêtes ont encore plus peur que toi. Frappe le sol avec ton bâton et elles s'en iront. Quant aux revenants, ils n'existent pas. De toute façon, moi, je continue ! Si tu veux rentrer tout seul...

— Non, non ! Surtout pas !

— Alors, arrête de te plaindre et marche.

Ils repartirent. Le blond, l'air déterminé, le géant, traînant un peu la patte. Les deux garçons, qui les suivaient à quelques pas, avaient eux aussi bien envie de faire demi-tour, car l'endroit était vraiment sinistre. La lumière de la lune créait des ombres gigantesques, et parfois un souffle de vent agitait les branches qui ressemblaient à d'immenses bras prêts à les saisir. Pour ne pas céder à la panique, Jordan et Paulin s'efforçaient de se concentrer sur leur but : découvrir ce que les deux hommes venaient chercher.

Parvenu au cimetière, le géant refusa tout net d'y entrer. Son compagnon, haussant les épaules avec mépris, s'éloigna entre les croix marquant l'emplacement des tombes. Les deux garçons, dissimulés par un bouquet de genévriers, le virent aller jusqu'à l'arbre mort. Il se mit sur la pointe des pieds et retira un objet de la fourche des deux branches maîtresses. Revenu auprès de son compagnon, il lui brandit sous le nez un morceau de bois en disant :

— Tu vois, je l'ai ! Ce n'était pas si difficile !

Et ils repartirent vers l'abri de la petite forteresse.

En voyant le morceau de bois, Jordan et Paulin comprirent enfin les manigances des deux hommes. Ce bois n'était pas ordinaire : il provenait de Terre Sainte, ramené par Bertrand de Gourron après la croisade. Le seigneur avait partagé la relique en quatre, de manière à en placer un morceau dans chacun des endroits où reposaient les morts de la seigneurie. Il y en avait un au-dessus du gisant de dame Baptistine, un autre aux pieds de la statue de la vierge du cimetière du monastère, le troisième était accroché à la croix de fer du cimetière du village et le quatrième avait été réservé aux lépreux. Les deux gredins avaient volé le plus accessible de ces objets sacrés pour le vendre !

Jordan et Paulin ne s'attardèrent pas à discuter de leur découverte : il s'agissait de se mettre à l'abri au plus vite. Laissant les gardes retourner à la petite forteresse, ils prirent la direction du village.

Maintenant qu'ils n'étaient plus excités par la chasse au secret, les mystères de la nuit se faisaient plus présents. Ils entendaient toutes sortes de bruits qu'ils ne savaient pas identifier : des craquements, des glissements, des petits cris plaintifs, de curieux soupirs venus de la cime des arbres...

Des ombres inquiétantes qui les frôlèrent avec de légers froissements d'ailes les firent sursauter.

— Ce sont des chauves-souris, dit Paulin. Si elles se mettent dans les cheveux, elles s'y accrochent et on ne peut plus les enlever.

Ils rentrèrent instinctivement la tête dans les épaules et accélérèrent le pas. Soudain, ils entendirent un bruit plus fort accompagné d'un cri strident. D'un même mouvement, ils plongèrent dans un buisson. De puissantes ailes passèrent au-dessus de leurs têtes protégées par le feuillage. Jordan, qui s'était fait mal au bras, laissa échapper une plainte.

Vexé d'avoir eu peur, il ricana en réajustant son écharpe :

— Je suppose que c'était un hibou ou un chat-huant.

Se sentant tous deux un peu ridicules d'avoir été effrayés par un oiseau, ils reprirent le sentier en s'efforçant de marcher normalement.

À leur grand soulagement, les premières maisons du village apparurent enfin. Se croyant sauvés, ils ralentirent encore le pas pour se donner l'air de ne pas avoir peur. C'est alors que les loups se mirent à hurler. La meute était si près qu'on entendait le bruit des pattes sur le sol. Alors, sans plus se soucier de leur dignité, les deux garçons, prenant leurs jambes à leur cou, traversèrent le village en trombe jusqu'à la chaumière de Paulin qui était la dernière du village. Ils s'y engouffrèrent à grand fracas et, le souffle coupé par la course et la frayeur, ils s'effondrèrent sur le sol de terre battue.

Leur entrée brutale réveilla tout le monde. Le père de Paulin n'était pas content de voir le jeune seigneur chez lui : si le nouveau maître apprenait qu'il l'avait accueilli dans sa demeure, il aurait des ennuis. Néanmoins, il ne pouvait pas le mettre dehors, surtout avec les loups qui rôdaient. Forcé de l'héberger, il ordonna à ses enfants de se serrer, ce qu'ils firent de mauvaise grâce, et il retourna se coucher.

Sur la paillasse posée à même le sol, Jordan, agité par la fièvre, passa une mauvaise nuit. La belle-mère de Paulin, terrorisée à l'idée qu'il soit trop malade pour quitter sa maison le lendemain, le soigna de son mieux. Elle lui prépara une tisane contre la fièvre et resta à son chevet pour lui en faire boire à plusieurs reprises. Jordan geignit une bonne partie de la nuit mais, peu à peu, il se calma et s'endormit. À l'aube, il allait assez bien pour marcher, et c'est avec un grand soulagement que la famille de Paulin le vit partir.

En retournant au château, Jordan et Paulin parlaient avec animation de ce qu'ils avaient découvert pendant la nuit. Ils étaient indignés de la conduite des deux hommes et voulaient absolument les empêcher d'accomplir leur méfait. Mais comment s'y prendre ?

— Puisqu'ils vont être de garde, on a deux jours pour trouver une solution, rappela Paulin.

Ce matin-là, les sentinelles étaient des ennemis de Jordan, et les deux garçons durent attendre la relève pour franchir le pont-levis. Dès qu'il le put, le jeune seigneur alla trouver Guillemette pour lui montrer son bras. Il était toujours aussi douloureux, mais au moins la fièvre était tombée. Jordan se rendit aux cuisines, escorté de Belle qui manifestait bruyamment sa joie de le revoir. La veille, il avait eu du mal à empêcher la chienne de le suivre, mais il ne pouvait pas courir le risque qu'elle dénonce leur présence en aboyant après un mulot ou un écureuil. Sans rancune, Belle lui léchait les mains et agitait frénétiquement sa queue. Guillemette examina le bras, confirma que ce n'était pas grave et l'enduisit d'un onguent.

Pendant la leçon de lecture, Jordan sentit souvent le poids du regard de sa mère. Obsédé par le désir de démasquer les voleurs, le jeune seigneur était

incapable de se concentrer sur son travail. Dame Garsie aurait voulu savoir
pourquoi, mais elle ne pouvait pas
l'interroger sans attirer l'attention de
Nicolette. Désolé de l'inquiéter ainsi,
Jordan tentait de lui sourire pour la
rassurer, mais il ne parvenait pas à être
convaincant.

7

LE MENDIANT

Après avoir échafaudé mille et un plans pour piéger les voleurs de reliques, Jordan et Paulin arrivèrent à la conclusion qu'ils n'y parviendraient pas sans aide. Or, la seule personne qui pouvait leur prêter main-forte était le seigneur de Larboust. Il fallait donc qu'un messager se mette en route au plus tôt pour aller l'avertir. Paulin se proposa. Jordan hésita, craignant pour son ami, car il y avait du danger à courir les chemins. Mais le jeune paysan fit valoir qu'il était le seul à pouvoir aller et venir sans que personne ne s'en préoccupe. Faute d'alternative, Jordan finit par accepter et alla demander à Guillemette de la nourriture pour le trajet.

À cause de son bras blessé, Jordan avait été dispensé d'entraînement et de corvées, ce qui lui permit d'accompagner Paulin au monastère. Ils allaient voir si des pèlerins s'apprêtaient à partir dans la direction de Larboust pour que le jeune paysan puisse se joindre à eux. La forteresse de leur allié n'était pas très éloignée de Gourron, mais il fallait traverser la forêt, et personne ne s'y serait risqué tout seul.

Les garçons eurent de la chance : il y avait justement un convoi qui s'ébranlait, conduit par le vieillard à qui Jordan avait parlé la veille. Paulin, avec son baluchon de nourriture et son bâton de marche, faisait un pèlerin tout à fait acceptable. Son ami le regarda s'éloigner avec un peu d'envie. Il aurait bien voulu y aller lui aussi, mais Paulin avait raison : son absence serait remarquée et Sicard l'apprendrait. Actuellement, on ne le surveillait pas de très près, et il ne voulait pas courir le risque que cela change.

Dans la cour, il y avait toujours autant de monde : un groupe de pèlerins venait d'arriver, aussi nombreux que celui auquel Paulin s'était joint. Ceux-ci venaient également de Compostelle, comme on pouvait le voir à leurs manteaux ornés de coquillages.

Aux abords de la chapelle, Belle partit comme une flèche pour se précipiter sur un mendiant à qui elle fit la fête. C'était le même que l'autre jour : un homme très maigre dont le visage, encadré de cheveux embroussaillés, était barré par une large cicatrice. Comme la dernière fois, il apparaissait à Jordan bizarrement familier... Le mendiant repoussa la chienne et s'en alla avec une rapidité étonnante pour quelqu'un qui semblait aussi mal en point. Jordan se mit à courir dans sa direction, décidé à éclaircir ce mystère.

L'homme se faufilait avec aisance parmi les pèlerins, Jordan sur ses talons. La chienne, qu'il avait renoncé à repousser, trottait à ses côtés. Il entraîna son poursuivant parmi les nombreux bâtiments du couvent : ils passèrent par l'hôpital, l'apothicairerie*, le scriptorium**, le cellier... Tout en le suivant, Jordan pensa que cet homme connaissait

* *L'apothicairerie* est la pharmacie du couvent.
** *Le scriptorium* est le lieu où les moines copient les manuscrits.

les lieux aussi bien que lui : sans doute y avait-il déjà séjourné...

Ils arrivèrent enfin dans le verger, loin de la foule et des curieux, et Jordan comprit que le mendiant l'avait volontairement entraîné dans ce lieu désert. En le voyant qui l'attendait, le jeune garçon eut un instant d'hésitation : cet homme lui voulait peut-être du mal. Il se demandait s'il ne serait pas plus prudent de s'en aller quand Belle vint vers lui : elle lui lécha la main, repartit vers l'homme, qui la flatta, et revint vers Jordan, comme si elle voulait les réunir.

Alors Jordan, faisant confiance à l'instinct de la chienne, s'avança vers l'homme qui l'attendait. Lorsqu'il l'eut rejoint, ils se regardèrent. C'est là qu'il découvrit ce que Belle avait su bien avant lui : le mendiant n'était autre que Bertrand de Gourron, son père.

Ils s'étreignirent longuement, muets d'émotion. Puis Jordan voulut parler, poser des questions, crier son bonheur, mais son père l'arrêta d'un geste impérieux : un bruit de chevauchée annonçait l'arrivée d'une troupe au couvent. Sans doute Sicard et ses gardes.

— Ici, c'est trop risqué, dit-il. Viens avant none*, au grand chêne de la vigne. Ne dis rien à personne et n'amène pas Belle.

Le garçon prit aussitôt la chienne par le cou et s'éclipsa en direction du château.

Tandis qu'il cheminait, ses pensées tournoyaient follement dans sa tête. Il était agité de sentiments contradictoires qui le rendaient à la fois triste et joyeux.

Au bonheur de savoir son père vivant, s'opposait l'inquiétude donnée par sa santé. Il avait le souvenir d'un homme fort, musclé et encore jeune, et il venait de retrouver un vieillard maigre et maladif. Autrefois grand seigneur, Bertrand de Gourron se cachait aujourd'hui sous les traits d'un mendiant pour rentrer chez lui, où un usurpateur avait pris sa place.

«Heureusement qu'il y a Larboust!» pensa Jordan. Il avait hâte d'annoncer à son père qu'il avait un allié. Il était également très impatient de savoir ce qui

* *None* désigne le milieu de l'après-midi.

lui était arrivé à Urrugne, cette fameuse nuit dont le blond ne voulait pas parler.

Le blond et le géant! Jordan s'aperçut avec surprise qu'il les avait complètement oubliés! Il lui fallait absolument parler d'eux à son père. Mais pour cela, il devait attendre le milieu de l'après-midi. Il leva les yeux vers le soleil qui n'était pas encore au milieu de sa course. Qu'allait-il faire jusque-là? Sans son entraînement et sans Paulin, les heures seraient interminables.

La seule activité qui lui restait était la leçon de lecture. Il se rendit sans enthousiasme dans la chambre des dames.

Jordan resta un instant à observer sa mère avant qu'elle ne s'aperçoive de sa présence. D'habitude, les plis amers des coins de sa bouche et ses yeux d'une tristesse infinie lui serraient le cœur. Mais aujourd'hui, il savait qu'elle recommencerait bientôt à sourire et à chanter. Si seulement il pouvait lui apprendre tout de suite le retour de son mari! C'était cruel de la laisser dans l'ignorance de la bonne nouvelle. La consigne de se taire ne s'appliquait pas à sa mère, Jordan en était sûr. Mais hélas, il ne pouvait rien dire, car il y avait Nicolette, fidèle à son poste d'espionne, qui ne relâchait jamais sa surveillance.

À la vue de son fils, dame Garsie s'empressa d'abandonner sa broderie pour aller chercher la Bible rangée dans un coffre dont elle seule possédait la clé. Jordan lut avec aisance le passage que sa mère lui désigna et elle le complimenta pour ses progrès. Contents l'un de l'autre, ils échangèrent un sourire affectueux.

Après la lecture, venait l'écriture. Jordan gravait ses lettres avec application à l'aide d'un stylet sur une tablette de cire. Quand un exercice était fini, on pouvait l'effacer et réutiliser la tablette. Le jeune garçon aurait bien aimé essayer d'écrire à l'encre, avec une plume d'oie, sur un parchemin, mais ce précieux matériau était réservé aux livres et aux documents importants, et on ne le gaspillait pas pour des exercices.

Il recopiait une phrase du *Nouveau Testament* où il était question du retour de l'enfant prodigue et de l'accueil que lui réservait son père. Tout en écrivant, Jordan pensa que l'histoire de l'*Évangile* était à l'inverse de la sienne : à Gourron, ce n'était pas le fils qui était revenu, mais le père. C'est alors qu'une idée lui vint : dans le texte qu'il avait sous les yeux, il y avait tous les mots nécessaires pour informer sa mère du retour de Bertrand de Gourron. Et ils étaient en latin, que Nicolette ignorait !

Jordan, délaissant la phrase qu'il avait commencée, écrivit : *meus* (mon) *pater* (père) *hic* (ici). Dame Garsie fronça d'abord les sourcils, car elle ne comprenait pas pourquoi son fils n'écrivait pas sa copie dans l'ordre. Puis le sens des mots qu'il avait notés s'imposa à son esprit. Elle devint toute pâle et regarda Jordan interrogativement. Il baissa les paupières en signe d'assentiment. Alors, elle lui prit le stylet et écrivit *ubi* (où ?). Jordan écrivit à son tour *dei domus* (maison de Dieu). Il vit qu'elle avait compris et ils échangèrent un regard de connivence. Ensuite, Jordan s'efforça de continuer sa copie pour ne pas provoquer les soupçons, mais il était incapable de feindre plus longtemps, et il écourta la leçon.

None arriva enfin, et Jordan partit vers la vigne. Dès qu'il l'aperçut, Bertrand de Gourron, qui était assis au pied du

chêne, se leva d'un bond. Jordan se précipita vers lui, et le père et le fils, aussi
émus que le matin, restèrent longtemps
dans les bras l'un de l'autre. Lorsque
Bertrand éloigna Jordan pour le regarder, il exprima sa satisfaction :

— Tu as grandi. Tu es fort et musclé. Je
suis sûr que tu es devenu un bon soldat.
Mais qu'est-ce que tu as au bras ? Tu es
tombé de cheval ?

— Non. C'est Sicard qui m'a blessé à
l'entraînement.

— Sicard ! gronda Bertrand, maudit
soit-il ! Il va bientôt payer pour tout ce
qu'il a fait.

L'homme que Jordan venait de retrouver sous le chêne avait le visage et le
corps de celui qu'il avait difficilement
reconnu le matin : maigre et vêtu de
loques, ses cheveux étaient emmêlés et
une cicatrice lui coupait le visage. Mais
sa ressemblance avec le mendiant s'arrê-
tait là : Bertrand se tenait droit et il avait
le regard fier du seigneur de Gourron.
Jordan, soulagé, comprit que l'air souf-
freteux de son père faisait partie de son
déguisement et qu'il n'avait rien perdu
de sa force.

— Dis-moi, père, que t'est-il arrivé ?

— Plus tard. C'est d'abord toi qui vas répondre à mes questions.

Guidé par son père, qui l'interrompait lorsqu'il donnait des détails sans importance, Jordan brossa un portrait de la situation au château. Bertrand de Gourron apprit que Sicard se préparait à épouser sa femme, que tout le monde croyait veuve, pour mettre définitivement la main sur la seigneurie. De colère, il frappa le tronc du chêne avec le bâton qu'il avait à la main.

— Est-ce que tu sais ce que les gardes pensent de lui ?

Jordan fit à son père le compte des fidèles de Sicard : ils étaient à peu près aussi nombreux que ceux qui ne l'aimaient pas. Bertrand était en train de penser qu'il ne lui serait pas facile de l'évincer lorsque Jordan lui parla du seigneur de Larboust, que Paulin était allé chercher en renfort.

— Bravo, mon fils ! On va reprendre notre place et le traître sera puni.

Jordan ne voulut pas quitter son père avant d'avoir entendu le récit de son aventure. Bertrand, d'abord réticent parce que ses souvenirs le faisaient bouillir de colère, finit par céder à ses instances, et Jordan, fasciné, apprit enfin la vérité.

« Au retour de Compostelle, nous avons fait étape à Urrugne. Il était prévu de s'y reposer une semaine parce que le franchissement des montagnes Pyrénées avait été très fatigant. Comme nous avions perdu deux hommes qui avaient glissé dans une crevasse, Sicard partit en quête de remplaçants dans la cité d'Urrugne.

Ceux qu'il ramena furent désignés pour être de garde la nuit même. C'était à mon avis une drôle d'idée : avant, il aurait mieux valu les laisser s'habituer à leur travail. Mais je n'ai rien dit, parce que je ne voulais pas empiéter sur le commandement de Sicard.

Au milieu de la nuit, alors que je dormais profondément, j'ai été brutalement bâillonné, tiré de ma tente et traîné près du bivouac. Sicard était là, armé d'un poignard dont il voulut me donner un coup en plein cœur pendant que les deux nouveaux gardes me maintenaient à l'aide de Raymond. Bien qu'encore ensommeillé, je me suis débattu et j'ai réussi à détourner l'arme qui m'entailla profondément le visage. Puis je ne bougeai plus, profitant de l'obscurité pour faire semblant d'être mort. Sicard le crut et leur commanda d'aller me jeter dans un ravin.

Deux autres soldats étaient de garde cette nuit-là. Ils venaient de Gourron, mais ils étaient complices des autres. Tandis que les nouveaux m'emportaient, je les ai entendus demander leur récompense. Sicard et Raymond se sont mis à rire comme des démons. Le capitaine leur a répondu que les traîtres trahissent tout le monde et qu'il ne pourrait jamais leur faire confiance. Aux cris qu'ils ont poussé, j'ai compris qu'ils les avaient tués.

Mes bourreaux m'ont porté jusqu'à un ravin au fond duquel grondait un torrent. Sans prendre la peine de m'achever, ils m'y ont jeté, sûrs que j'allais m'écraser en bas. Par chance, un arbre a arrêté ma chute.

Le lendemain, un berger m'a découvert et conduit jusqu'à sa cabane. J'avais perdu beaucoup de sang et j'étais très affaibli. Pendant des semaines, ce brave homme m'a soigné avec une grande générosité.

Lorsque j'ai enfin été sur pied, je suis allé aux nouvelles dans la cité. Là, j'ai appris que le convoi de Gourron avait été attaqué pendant la nuit par des bandits qui avaient tué deux gardes et enlevé le seigneur. Le capitaine avait attendu quelque temps dans l'espoir qu'une demande de rançon serait faite, puis comme rien ne venait, il avait donné l'ordre du départ. C'était donc ainsi que Sicard avait camouflé ses crimes !

Comme je n'avais plus rien, ni cheval ni arme ni argent, je me suis joint à un groupe de pèlerins et j'ai mendié pour ma nourriture. Tu connais maintenant toute l'histoire. »

Bien qu'il détestât Sicard depuis toujours, Jordan n'aurait pas imaginé qu'il fût capable de cette vilenie. Il resta un moment silencieux, ruminant son désir de vengeance, puis il demanda :

— Les deux gardes sont bien un blond et un géant ?

— En effet ! Sicard les a donc gardés...

— Oui. Et ils préparent un autre mauvais coup.

En entendant le récit du vol des
reliques, Bertrand ne cacha pas sa satisfaction :

— Parfait ! Ils vont m'aider, malgré
eux, à piéger Sicard.

Bertrand donna ses consignes à
Jordan, puis ils se séparèrent jusqu'au
lendemain.

8

DANS LA CHAPELLE DU MONASTÈRE

Quelle ne fut pas la joie du seigneur de Larboust lorsque Jordan, venu à sa rencontre, lui apprit le retour de son suzerain! Pendant que Paulin restait figé, les yeux arrondis de surprise, il poussait des hourras! repris en chœur par tous ses guerriers qui brandissaient leurs épées haut levées. Le jeune seigneur parvint à grand-peine à les faire taire : il ne voulait pas que les fidèles vassaux de son père fassent échouer son plan en attirant l'attention sur eux.

Dans un champ voisin, quelques paysans moissonnaient : ils coupaient à la faucille les tiges de blé et les mettaient en gerbe. Attirés par le vacarme des soldats, ils interrompirent leur tâche un instant pour regarder gesticuler ces énergumènes. Jordan craignit que l'un d'eux ne trouve cela anormal et s'en aille donner l'alerte. Mais les paysans n'avaient pas l'habitude de se mêler des histoires des seigneurs ; ils retournèrent à leur récolte qu'il fallait mettre à l'abri des orages, sous peine de famine l'hiver suivant.

Impétueux et peu réfléchi, Larboust voulait foncer au monastère pour aller chercher Bertrand de Gourron et l'escorter jusqu'à la forteresse où celui-ci dirait : « Voilà, je suis revenu. » Jordan eut du mal à lui faire comprendre que ce n'était pas là le souhait de son père. Le seigneur ne voulait pas seulement reprendre sa place : il avait aussi l'intention de démasquer le traître afin de le punir.

Comme convenu, Paulin alla avertir Bertrand que Larboust l'attendait sur la berge du Rivas, à l'orée de la forêt. Le seigneur voulait expliquer lui-même sa stratégie à son vassal. Pendant ce temps, le jeune paysan assurerait la surveillance de la porte d'entrée du monastère pour le cas, fort improbable, où le blond et le géant se présenteraient plus tôt que prévu.

Le seigneur de Gourron avait hâte de placer ses hommes dans la cour du couvent, mais il contint son impatience, car il ne voulait pas vexer son allié. Se prêtant avec une apparente bonne grâce aux manifestations de fidélité de Larboust et de ses soldats, il les remercia comme il le devait avant de leur expliquer son plan.

Dans l'enceinte du monastère, personne ne fit attention aux nouveaux venus qui se mêlèrent à la foule des pèlerins. Ils prirent soin, toutefois, de ne pas croiser le chemin des moines qui auraient pu les reconnaître. Répartis aux points stratégiques, ils arboraient un air débonnaire. En réalité, ils étaient très attentifs les uns aux autres, en attente du signal qui désignerait l'arrivée des suspects.

Paulin, chargé de donner l'alarme, était resté à jouer aux osselets, assis par terre, à côté de la porte. Les autres étaient disséminés aux alentours, mais ils gardaient tous un œil sur le jeune paysan. Bertrand, qui avait repris son aspect de mendiant inoffensif, accroupi sur les marches de l'église, vérifia que ses troupes étaient bien en place. Ce qu'il vit le rassura : Larboust faisait boire son cheval dans l'auge de la fontaine, Jordan admirait un jongleur qui avait provoqué un petit attroupement et les soldats rôdaient à proximité. Tous étaient prêts à intervenir ; il n'y avait plus qu'à attendre.

Vers la fin de la matinée, le cri du geai, répété par deux fois, les alerta. Personne d'autre n'y fit attention, car on entendait souvent ces oiseaux protester lorsque Gastou les chassait du verger voisin. Mais les hommes qui étaient au courant reconnurent Paulin, même si son imitation était réussie, et ils se préparèrent à jouer leur rôle.

Le géant et le blond entrèrent dans la cour d'un pas décidé et allèrent droit à la chapelle. Les deux hommes n'étaient pas à la recherche de leur complice : c'était à un rendez-vous qu'ils allaient. Lorsqu'ils passèrent près de Bertrand de Gourron, le faux mendiant rabattit le capuchon de sa cape sur son visage : ce n'était surtout pas le moment d'être reconnu ! Les deux hommes se dirigèrent vers le fond de la chapelle où il y avait beaucoup de monde. Ils étaient suivis, à leur insu, par Larboust et ses hommes, qui faisaient semblant d'être des pèlerins, ainsi que par Jordan, Bertrand et Paulin.

Un office était en cours. Au moment où ils entrèrent, toute l'assistance écoutait avec ferveur le chœur des novices chanter un hymne. Le chant était très beau et, avant de retourner à l'autel pour continuer la célébration, l'abbé qui dirigeait le monastère, un homme sévère et craint, fit aux choristes un petit signe approbateur.

On en était à l'élévation : au son de la clochette agitée par un moine, tous les assistants baissèrent la tête et mirent le visage dans leurs mains jointes. Le blond profita de ce que personne ne regardait pour entrer dans un confessionnal. Il en ressortit peu après, en même temps qu'un individu qui l'y avait attendu.

Pendant ce temps, les hommes qui les guettaient s'étaient placés en cercle autour du confessionnal. Le géant, le blond et leur complice qui voulaient quitter la chapelle ne devinèrent pas tout de suite que ces hommes les gênaient exprès. Ils les bousculèrent pour franchir l'obstacle, mais le cercle se resserra. Ils comprirent alors que c'était un piège et commencèrent à s'affoler. Ils lancèrent des coups de pieds et de poings que les soldats leur rendirent, et cela fit, dans le fond de l'église, un remue-ménage qui attira l'attention de l'abbé.

Indigné par ce manque de respect, le religieux demanda d'une voix forte et autoritaire :

— Qui se permet de troubler la paix de la maison de Dieu ?

Le seigneur de Larboust lui répondit :

— Il y a ici deux hommes qui viennent de vendre à un troisième une relique qu'ils ont volée.

Un silence horrifié s'abattit sur l'assemblée, et l'abbé lui-même resta muet un instant. Mais il reprit vite ses esprits et ordonna d'un ton sans réplique :

— Qu'on les amène ici !

Malgré leurs protestations, les soldats empoignèrent les voleurs et les conduisirent dans le chœur sous la direction de Larboust, qui avait pris les choses en main.

L'abbé demanda qui étaient ces individus.

— Ces deux-là sont des gardes de Gourron. L'autre, je ne le connais pas.

— Puisque ce sont ses hommes, il faut envoyer chercher le seigneur, constata le religieux. Et il appela un moine pour l'en charger.

— Il faudrait qu'il vienne avec ses soldats, s'empressa de préciser Larboust.

L'abbé leva un sourcil étonné :

— Pour quoi faire, puisque vous les maîtrisez ?

— Pour que leurs camarades assistent à leur déshonneur.

— Si vous voulez, grommela l'abbé.

— Et également dame Garsie, ajouta Larboust.

— Mais enfin, pour quelle raison ?

— Elle était très attachée à cette relique, elle voudra s'assurer que les coupables ont bien été capturés.

Bien que surpris, il confirma les ordres au moine qui, soulevant à deux mains sa longue robe de bure, partit en courant.

L'abbé voulut savoir de quelle relique il s'agissait. Larboust la reprit au faux pèlerin pour la tendre au religieux. En la reconnaissant, son visage devint encore plus sévère, car il avait d'abord pensé que l'objet venait d'ailleurs. À son regard, les trois hommes qui avaient voulu dépouiller la seigneurie de Gourron de l'un de ses objets les plus précieux comprirent que l'abbé ne serait pas indulgent avec eux.

Sicard entra dans l'église, accompagné de Raymond et de ses gardes et suivi de dame Garsie.

— Que se passe-t-il, pour qu'on me réclame de toute urgence ?

Il paraissait mécontent, mais c'était son air habituel. Dame Garsie, par contre, avait du mal à cacher son excitation. Depuis que Jordan lui avait appris le retour de son mari, elle attendait les retrouvailles, et cette bizarre convocation au monastère lui faisait espérer qu'elles ne tarderaient plus.

À la vue du blond et du géant, Sicard se troubla un peu, mais il avait l'habitude de tout résoudre en criant fort, et c'est ce qu'il fit dès qu'il sut de quoi les deux hommes étaient accusés.

— Quelle honte ! Ces criminels vont être châtiés : qu'on les amène sur-le-champ pour les pendre !

Mais les voleurs de reliques n'avaient pas l'intention de se laisser faire sans se défendre. Le blond cria à l'abbé :

— J'ai des choses à dire, écoutez-moi !

Sicard réagit aussitôt en ordonnant à ses gardes :

— Emmenez-les, qu'on en finisse !

— Tout doux, pas si vite, dit l'abbé.

— Pas si vite, confirma Larboust en plaçant ses propres hommes autour de Sicard et de Raymond.

Sicard arbora son air le plus terrible et gronda, les sourcils froncés :

— Comment ? Qu'est-ce à dire ? On s'oppose à la volonté du suzerain ?

Malheureusement pour lui, l'abbé n'était pas homme à se laisser impressionner.

— Dans l'enceinte du couvent, c'est moi le maître, rappela-t-il.

Se tournant vers les accusés, il leur demanda :

— Qu'avez-vous à dire ?

— Des choses graves sur cet homme et sur l'autre seigneur, dit le blond en désignant Sicard, mais nous ne les révélerons que si vous nous promettez la vie sauve.

— Sur l'autre seigneur ? dit vivement l'abbé, quel seigneur ? Bertrand de Gourron ?

— Oui. Sur la disparition du seigneur de Gourron.

— Il dit n'importe quoi, intervint Sicard en haussant les épaules.

Mais l'abbé ne voulut pas en rester là :

— Nous allons écouter ce qu'il a à dire. Et nous déciderons après si nous les jugeons ou si nous les envoyons se faire pendre ailleurs.

Devant l'assistance médusée, le blond fit le récit que Jordan connaissait déjà par son père.

— C'est faux ! hurla Sicard, tout est faux !

— C'est sa parole contre la vôtre, dit l'abbé, pouvez-vous apporter une preuve ?

Le blond n'avait pas de preuve et commençait à perdre pied tandis que Sicard, rassuré, ricanait grassement.

C'est alors qu'un mendiant, la tête couverte de son capuchon, s'avança en claudiquant et dit :

— Moi, j'ai une preuve !

— Un mendiant, dit Sicard, de mieux en mieux !

Mais le mendiant, soudain, se redressa, se tourna vers l'assistance, ôta son capuchon et dit d'une voix forte :

— Moi, Bertrand de Gourron, déclare que cet homme – il désigna son ancien capitaine sans même daigner le regarder – a essayé de me tuer pour prendre ma place.

Larboust et ses soldats, qui n'attendaient que cela pour se manifester, lancèrent comme un seul homme :

— Vive Bertrand de Gourron !

Ce rebondissement imprévu avait stupéfait tous les assistants, et il fallut aux gardes de Gourron un instant pour réagir. Mais quand ils eurent bien compris ce qui se passait, ils s'empressèrent de crier à leur tour « Vive Bertrand de Gourron ! », car ils ne voulaient pas suivre Sicard dans la disgrâce.

— Vive Bertrand de Gourron ! répétèrent tous les fidèles.

— Bienvenue chez vous, mon seigneur, dit l'abbé.

Pendant que des gardes maintenaient solidement Sicard et Raymond écumants de rage, dame Garsie, rayonnante, vint se mettre à la gauche de Bertrand et Jordan à sa droite. Le seigneur de Gourron entoura leurs épaules de ses bras, puis il chercha quelqu'un dans la foule. Avisant Paulin, il l'appela :

— Viens, dit-il, ta place est avec nous.

Table des matières

Les titres de la collection Atout

* Lecture facile   ** Lecture intermédiaire